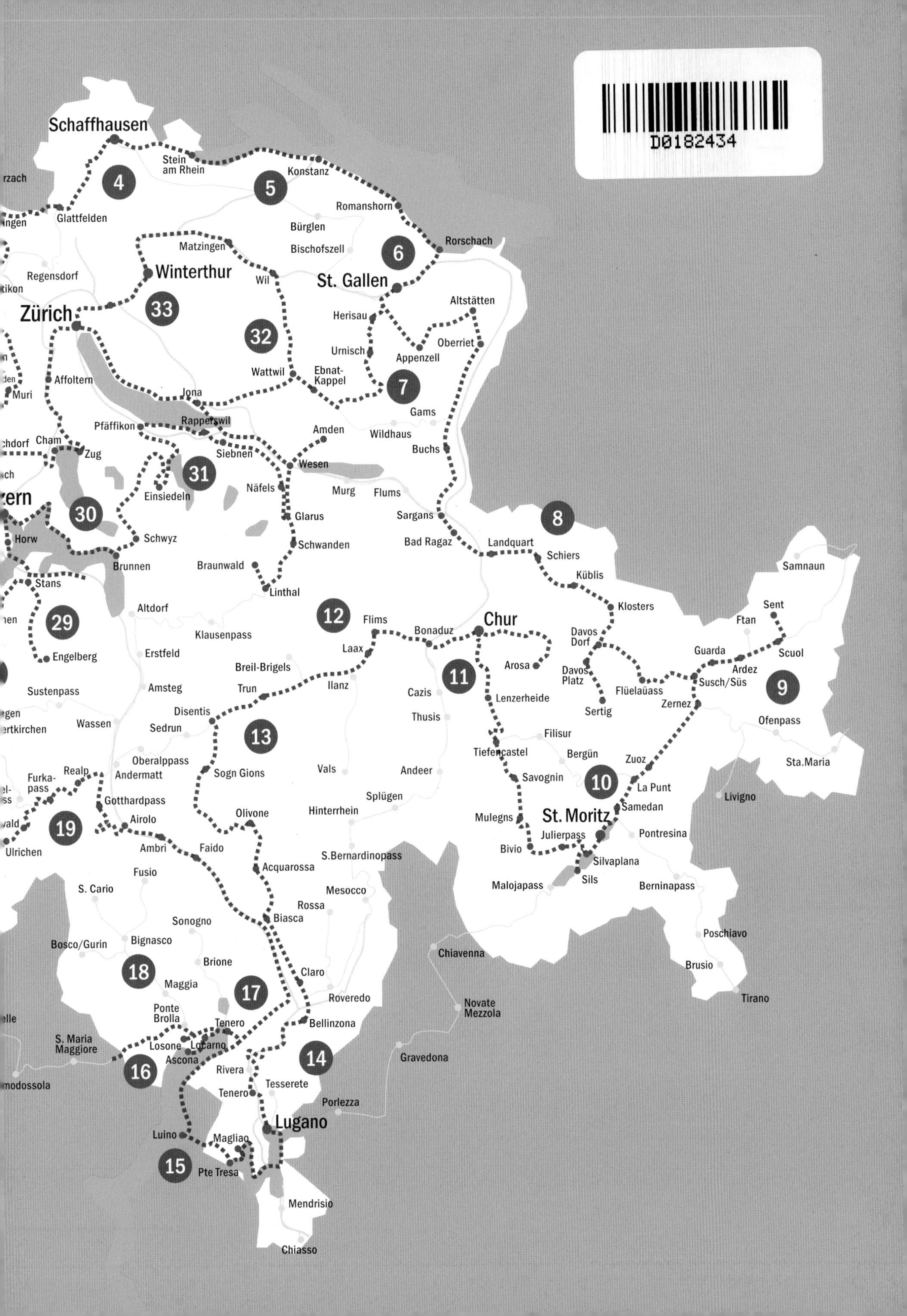

Schaffhausen
Stein am Rhein
4
5
Konstanz
Glattfelden
Romanshorn
Bürglen
Rorschach
Matzingen
Bischofszell
6
Regensdorf
Winterthur
Wil
St. Gallen
Altstätten
Zürich
33
Herisau
32
Oberriet
Urnisch
Appenzell
Affoltern
Wattwil
Ebnat-Kappel
7
Muri
Jona
Gams
Rapperswil
Pfäffikon
Amden
Wildhaus
Cham
Zug
Siebnen
Buchs
Wesen
31
Näfels
Murg
Flums
Einsiedeln
30
Glarus
Sargans
8
Horw
Schwyz
Schwanden
Bad Ragaz
Landquart
Schiers
Brunnen
Braunwald
Samnaun
Stans
Küblis
Linthal
Altdorf
12
Klosters
Sent
29
Flims
Chur
Ftan
Klausenpass
Bonaduz
Davos Dorf
Engelberg
Erstfeld
Laax
Arosa
Guarda
Scuol
Breil-Brigels
11
Davos Platz
Ardez
Susch/Süs
9
Sustenpass
Amsteg
Trun
Ilanz
Cazis
Lenzerheide
Flüelaüass
Sertig
Zernez
Disentis
Thusis
Wassen
Sedrun
13
Ofenpass
Filisur
Oberalppass
Tiefencastel
Bergün
Andermatt
Zuoz
Sta.Maria
Furka-pass
Realp
Sogn Gions
Vals
Andeer
Savognin
10
La Punt
Gotthardpass
Splügen
Livigno
Airolo
Olivone
Hinterrhein
Samedan
19
Mulegns
St. Moritz
Ulrichen
Ambri
Faido
Julierpass
Pontresina
Bivio
Acquarossa
S.Bernardinopass
Silvaplana
Fusio
Malojapass
Sils
Berninapass
S. Cario
Mesocco
Rossa
Biasca
Sonogno
Bignasco
Poschiavo
Bosco/Gurin
Chiavenna
Brione
18
Brusio
Maggia
Claro
17
Tirano
Roveredo
Novate Mezzola
Ponte Brolla
Tenero
Bellinzona
S. Maria Maggiore
Losone
Locarno
14
Gravedona
Ascona
16
Rivera
Tesserete
Tenero
Porlezza
Lugano
Luino
Magliao
15
Pte Tresa
Mendrisio
Chiasso

Alfred Haefeli

Schweiz
Switzerland
Suisse

40 Reisen – journeys – voyages

FARO

Herzlichen Dank all jenen, die uns bei der Bildsuche unterstützt und uns das entsprechende Material zur Verfügung gestellt haben.

Gestaltung Inhalt und Layouts FonaGrafik, Stephanie Steimer/Lea Spörri

Fotos **Aargau Tourismus** (Etappe 3/Bild 5); **Grand Hotel Quellenhof, Bad Ragaz** (Etappe 8/Bild 4); **Ascona-Locarno Tourismus** (Etappe 17/Bild 4); **Andrea Badrutt, Chur** (Etappe 9/Bild 1); **Basel Tourismus** (Etappe 1/Bild 2); **Bern Tourismus** (Etappe 35/Bild 5); **Ennio Bettinelli** (Etappe 38/Bild 1); **Hotel Blausee, Blausee** (Etappe 25/Bild 3); **Régis Colombo** (Etappe 37/Bild 1); **Diemtigal Tourismus** (Etappe 24/Bild 5/Beat Straubhaar); **Dietz & Dietz, Merlischachen** (Etappe 1/Bilder 1, 5 - Etappe 2/Bild 3 - Etappe 3/Bilder 1, 3, 4 - Etappe 4/Bilder 1, 2, 4 - Etappe 7/Bild 2 - Etappe 8/Bild 1 - Etappe 9/Bild 3 - Etappe 10/Bilder 1, 2 - Etappe 12/Bild 3 - Etappe 13/Bild 2 - Etappe 14/Bilder 1, 4 - Etappe 15/Bild 1 - Etappe 16/Bild 5 - Etappe 17/Bild 1 - Etappe 18/Bild 1 - Etappe 20/Bild 4 - Etappe 23/Bild 4 - Etappe 25/Bild 1 - Etappe 26/Bilder 2 und 3 - Etappe 27/Bild 1 - Etappe 29/Bilder 1, 5 - Etappe 30/Bilder 1, 2 - Etappe 32/Bild 3 - Etappe 33/Bild 1 - Etappe 34/Bild 1 - Etappe 35/Bild 1 - Etappe 36/Bild 1 - Etappe 37/Bild 3, 5, Etappe 40/Bild 3); **Edition Phönix, Jutta Schneider, Michael Willi** (Etappe 1/Bild 4); **Kurt Hamann, Laufen** (Etappe 2/Bild 2); **Keystone, Zürich** (Etappe 2/Bild 1 - Etappe 4/Bild 3, Etappe 7/Bild 1 - Etappe 8/Bilder 2, 3, 5 - Etappe 9/ Bilder 2, 4, 5 - Etappe 10/Bilder 3, 4 und 5 - Etappe 11/Bild 2 - Etappe 12/Bilder 1, 2, 3, 4 - Etappe 13/Bilder 1, 3, 4, 5 - Etappe 15/Bild 3 - Etappe 16/Bilder 1, 2, 3, 4 - Etappe 17/Bilder 1, 2 - Etappe 18/Bilder 2, 4, 5 - Etappe 19/Bilder 1-5 - Etappe 20/ Bild 1 - Etappe 21/Bild 5 - Etappe 22/Bilder 1, 2, 4, 5 - Etappe 23/Bilder 1, 2,3 - Etappe 24/Bild 1 - Etappe 25/Bild 5 - Etappe 26/Bild 1 - Etappe 27/Bilder 2-5 - Etappe 28/alle Bilder - Etappe 29/Bilder 2, 3 - Etappe 30/Bilder 3-5 - Etappe 31/Bilder 1, 2, 3, 5 - Etappe 32/Bild 2 - Etappe 33/Bild 4 - Etappe 34/Bild 3, 5, Etappe 35/Bilder 2-5 - Etappe 36/Bilder 2-4 - Etappe 37/ Bild 2 - Etappe 38/Bild 2-5 - Etappe 39/alle Bilder - Etappe 40/Bilder 2-4); **Hotel Marina Lachen** (Etappe 31/Bild 4); **Leukerbad Tourismus** (Etappe 21/Bild 1); **KKL, Luzern** (Etappe 29/Bild 4); **Casa Santo Stefano, Miglieglia** (Etappe 15/Bild 2); **Romantikhotel Mont Blanc au Lac, Morges** (Etappe 37/Bild 4); **Kurt Müller** (Etappe 25/Bild 4); **Murten Tourismus** (Etappe 36/Bild 5); **ProLitteris, Zürich/Niggi Bräuning, Basel** (Etappe 1/Bild 3); **Hotel Nest und Bietschhorn, Ried-Blatten** (Etappe 21/Bild 4); **Rorschach Tourismus** (Etappe 6/Bild 3); **Saastal Tourismus** (Etappe 20/Bild 5); **Walter Schmid** (Etappe 11/Bild 4); **Solothurn Tourismus** (Etappe 40/Bild 1); **St. Gallen - Bodensee Tourismus** (Etappe 6/Bilder 1, 4, 5); **Thunersee Tourismus** (Etappe 25, Bild 2); **Thurgau Tourismus** (Etappe 5/Bilder 1-5); **Ticino Tourismus** (Etappe 14/Bild 2/Christof Sonderegger, Bild 5/Remy Steinegger - Etappe 15/Bild 5/Christof Sonderegger, Bild 4/Remy Steinegger); **Wallis Tourismus** (Etappe 20/Bilder 2, 3/C. Perret - Etappe 21/Bild 3/Roland Gerth, Bild 2/Christian Perret - Etappe 22/Bild 3/Christof Sonderegger); **Kartause Ittingen, Warth** (Etappe 32/ Bilder 1, 4); **Wengen Tourismus** (Etappe 26/Bilder 4 und 5); **Winterthur Tourismus** (Etappe 33/Bild 3); **Beat Zimmermann, Rheinfelden** (Etappe 2/Bild 5); **Flughafen Zürich AG, Zürich** (Etappe 33/Bild 5);

Druck Kösel, Altusried-Krugzell

ISBN 978-3-03781-078-1

40 Reisen

1. Basel
2. Laufen - Liestal - Rheinfelden - Laufenburg - Aarau
3. Lenzburg - Schloss Hallwyl - Muri - Bremgarten
4. Bad Zurzach - Schaffhausen - Stein am Rhein
5. Steckborn - Schloss Arenenberg - Kreuzlingen - Romanshorn
6. Arbon - Rorschach - St. Gallen
7. Herisau - Appenzell-Inner- und Ausserrhoden
8. Sargans - Bad Ragaz - Klosters - Davos
9. Scuol - Münstertal - Guarda
10. Zuoz - Celerina - Pontresina - St. Moritz - Sils
11. Savognin - Bergün - Lenzerheide - Chur - Arosa
12. Flims - Laax - Falera
13. Vals - Breil/Brigels - Disentis
14. Bellinzona - Lugano - Gandria
15. Melide - Morcote - Malcantone - Ponte Tresa
16. San Nazzaro - Gambarogno - Val Verzasca
17. Locarno - Ascona - Porto Ronco - Brissago
18. Centovalli - Valle Maggia - Leventina
19. Andermatt - Furkapass - Goms
20. Das Oberwallis
21. Lötschental - Leukerbad - Crans-Montana - Sion
22. Martigny - Verbier - Champéry
23. Villars-sur-Ollon - Château-d'Oex - Gstaad Saanenland
24. Lenk - Simmental - Adelboden
25. Kandersteg - Thunersee - Interlaken
26. Grindelwald - Wengen - Mürren
27. Brienzersee
28. Giswil - Sarnen - Pilatus - Stans
29. Engelberg - Luzern
30. Vierwaldstättersee - Die Rigi
31. Einsiedeln - Obersee - Walensee
32. Toggenburg - Wil - Weinfelden - Frauenfeld
33. Winterthur - Zürich
34. Zugersee - Sempachersee - Emmental
35. Burgdorf - Bern
36. Murten - Fribourg - Vevey - Montreux
37. Von Vevey nach Genève
38. Von Yverdon nach Delémont
39. Seeland
40. Solothurn - Oensingen - Langenthal - St. Urban - Zofingen

40 journeys

1. Basel
2. Laufen - Liestal - Rheinfelden - Laufenburg - Aarau
3. Lenzburg - Hallwyl Castle - Muri - Bremgarten
4. Bad Zurzach - Schaffhausen - Stein am Rhein
5. Steckborn - Arenenberg Castle - Kreuzlingen - Romanshorn
6. Arbon - Rorschach - St. Gallen
7. Herisau - Appenzell Inner and Outer Rhodes
8. Sargans - Bad Ragaz - Klosters - Davos
9. Scuol - Münstertal - Guarda
10. Zuoz - Celerina - Pontresina - St. Moritz - Sils
11. Savognin - Bergün - Lenzerheide - Chur - Arosa
12. Flims - Laax - Falera
13. Vals - Breil/Brigels - Disentis
14. Bellinzona - Lugano - Gandria
15. Melide - Morcote - Malcantone - Ponte Tresa
16. San Nazzaro - Gambarogno - Val Verzasca
17. Locarno - Ascona - Porto Ronco - Brissago
18. Centovalli - Valle Maggia - Leventina
19. Andermatt - Furka Pass - Goms
20. Upper Valais
21. Lötschental - Leukerbad - Crans-Montana - Sion
22. Martigny - Verbier - Champéry
23. Villars-sur-Ollon - Château-d'Oex - Gstaad Saanenland
24. Lenk - Simmental - Adelboden
25. Kandersteg - Lake Thun - Interlaken
26. Grindelwald - Wengen - Mürren
27. Lake Brienz
28. Giswil - Sarnen - Pilatus - Stans
29. Engelberg - Lucerne
30. Lake Lucerne - The Rigi
31. Einsiedeln - Obersee - Walensee
32. Toggenburg - Wil - Weinfelden - Frauenfeld
33. Winterthur - Zurich
34. Lake Zug - Lake Sempach - Emmental
35. Burgdorf - Bern
36. Murten - Fribourg - Vevey - Montreux
37. From Vevey to Genève
38. From Yverdon to Delémont
39. Seeland
40. Solothurn - Oensingen - Langenthal - St. Urban - Zofingen

40 voyages

1. Bâle
2. Laufon - Liestal - Rheinfelden - Laufenburg - Aarau
3. Lenzburg - Château de Hallwyl - Muri - Bremgarten
4. Bad Zurzach - Schaffhouse - Stein am Rhein
5. Steckborn - Château d'Arenenberg - Kreuzlingen - Romanshorn
6. Arbon - Rorschach - St-Gall
7. Herisau - Appenzell-Rhodes-Intérieures et Exterieures
8. Sargans - Bad Ragaz - Klosters - Davos
9. Scuol - Münstertal - Guarda
10. Zuoz - Celerina - Pontresina - St-Moritz - Sils
11. Savognin - Bergün - Lenzerheide - Coire - Arosa
12. Flims - Laax - Falera
13. Vals - Breil/Brigels - Disentis
14. Bellinzone - Lugano - Gandria
15. Melide - Morcote - Malcantone - Ponte Tresa
16. San Nazzaro - Gambarogno - Val Verzasca
17. Locarno - Ascona - Porto Ronco - Brissago
18. Centovalli - Valle Maggia - Leventine
19. Andermatt - Col de la Furka - Conches
20. Le Haut-Valais
21. Le Lötschental - Loèche-les-Bains - Crans-Montana - Sion
22. Martigny - Verbier - Champéry
23. Villars-sur-Ollon - Château-d'Oex - Gstaad Saanenland
24. La Lenk - Simmental - Adelboden
25. Kandersteg - Lac de Thoun - Interlaken
26. Grindelwald - Wengen - Mürren
27. Lac de Brienz
28. Giswil - Sarnen - Pilate - Stans
29. Engelberg - Lucerne
30. Le Lac des Quatre-Cantons - Le Rigi
31. Einsiedeln - L'Obersee - Le Walensee
32. Toggenburg - Wil - Weinfelden - Frauenfeld
33. Winterthour - Zurich
34. Lac de Zoug - Lac de Sempach - Emmental
35. Berthoud - Berne
36. Morat - Fribourg - Vevey - Montreux
37. De Vevey à Genève
38. D'Yverdon à Delémont
39. Le Seeland
40. Soleure - Oensingen - Langenthal - St-Urbain - Zofingue

1 | Basel – Basel – Bâle

Basel

Das Tor zur Schweiz

Als die Gäste aus allen Herren Ländern noch ausschliesslich mit Fahrzeugen und Schiffen in Basel ankamen und Schweizer Boden betraten, traf dieser Titel noch besser zu als heute, wo Millionen von Touristen und Geschäftsleuten in Zürich oder Genf landen. Selbstverständlich ist Basel auch per Flugzeug erreichbar: Der Airport liegt auf französischem Boden auf halber Strecke zwischen Basel und Mulhouse. Am schönsten ist es, mit dem Schiff in Basel anzukommen. Seit dem Mittelalter ist der Rhein zwischen Basel und Rotterdam schiffbar.

Die Menschen

Basel ist nach Zürich und Genf drittgrösste Schweizer Stadt. Sie liegt im Dreiländereck Schweiz–Deutschland–Frankreich, dazu gehören die Landgemeinden Riehen und Bettingen. Fast 200 000 Menschen sind privilegiert, hier zu wohnen und zu leben. Kontakte mit Bürgern der Nachbarländer gehören zur Tagesordnung. Viele der Grenzgänger arbeiten in den zahlreichen Pharma- und Chemiefirmen, aber auch in anderen Sparten.

Kunst und Kultur

Die Stadt Basel geniesst in Kulturkreisen auf der ganzen Welt einen hervorragenden Ruf. Sie ist die Stadt der Museen und der Musik. Über 40 bedeutende Sammlungen werden gezeigt, so etwa im berühmten Kunstmuseum, im Tinguely-Museum (erbaut von Mario Botta), in der Fondation Beyeler (erbaut von Renzo Piano). Basel hat eine Musikakademie, acht Kirchen mit historischen Orgeln und ein musikalisches Angebot, von dem viele Städte nur träumen. Die Basler Messe beherbergt nebst den jährlich wiederkehrenden Ausstellungen eine der bedeutendsten Kunstmessen der Welt: die Art Basel.

Die kleine Grossstadt

Basel ist die Vorzeige-Wirtschaftsregion der Schweiz und eine der produktivsten weltweit. Basis der Erfolgsgeschichte sind die grossen Pharmafirmen, darunter zwei der fünf grössten der Welt. Auch wichtige Dienstleister aus Finanz, Logistik, Design und Architektur haben Basel berühmt gemacht. Eine schöne, gepflegte Altstadt, grosszügige Parks, der alles prägende Rhein, grosszügige Menschen – das ist Basel. Die Stadt ist übersichtlich, man erreicht die Ziele schnell – zu Fuss, mit dem Fahrrad, mit Bus oder «Trämli».

Basel

The gateway to Switzerland

This title was still more appropriate at a time when guests from all over the world used Basel as their first point of entry into Switzerland, arriving there with vehicles and ships, whereas today, millions of tourists and business people land in Zurich or Geneva. Of course Basel can also be reached by plane: The airport is located on French territory halfway between Basel and Mulhouse. Arriving in Basel by ship is the most beautiful way of getting to the city. The Rhine between Basel and Rotterdam has been navigable since the Middle Ages.

The people

After Zurich and Geneva, Basel is the third-largest city in Switzerland. It is located in the three-country area of Switzerland–Germany–France and includes the municipalities of Riehen and Bettingen. Almost 200,000 people have the privilege of living here, and many of them interact daily with citizens of the neighboring countries. Many cross-border commuters work at the numerous pharmaceutical and chemical firms, but also in other industries.

2 | Basler Rheinhafen – Basel Rhine Harbor – Port de Bâle 3 | Fondation Beyeler 4 | Basler Rathaus – Basel City Hall – Hôtel de ville de Bâle
5 | Vogel Gryff – Vogel Gryff (the griffin)

Art and culture

In cultural circles all around the world, Basel enjoys a phenomenal reputation. It is the city of museums and music. Basel boasts over 40 significant collections, for example in the famous Kunstmuseum, in the Museum Tinguely (designed by Mario Botta), or in the Fondation Beyeler (designed by Renzo Piano). Basel has a music academy, eight churches with historic organs, and a music repertoire that many cities can only dream of. The Messe Basel, or convention hall, houses annually returning exhibits as well as one of the most important art shows in the world: Art Basel.

The little big city

Basel is the model economic region of Switzerland and one of the most productive worldwide. The reasons for this success story are the large pharmaceutical firms, among them two of the world's five largest. Other crucial service providers from finance, logistics, design and architecture have put Basel on the map. A beautiful, neat historic town center, expansive parks, the all-shaping Rhine, generous people – all that is Basel. The city is very manageable and people reach their destinations quickly – on foot, by bike, by bus, or by "Trämli", the streetcar.

Bâle

Porte d'entrée de la Suisse

Cette appellation avait tout son sens à l'époque où les voyageurs aventureux prenaient la route, le chemin de fer ou la voie fluviale pour entrer sur le territoire suisse à Bâle. De nos jours, des millions de touristes et d'hommes d'affaires débarquent à Zurich ou à Genève, et Bâle est bien évidemment accessible en avion : l'aéroport est situé sur le territoire français à mi-chemin entre Bâle et Mulhouse. Cependant, le Rhin étant navigable entre Bâle et Rotterdam depuis le Moyen Âge, c'est encore en bateau que se fait la plus belle découverte de la ville.

Population

Après Zurich et Genève, Bâle est la troisième plus grande ville de Suisse. Elle partage ses frontières avec la France et l'Allemagne. Les communes de Riehen et de Bettingen lui sont rattachées. Ce sont donc près de 200 000 personnes qui partagent le privilège d'y habiter. Les contacts avec les citoyens des pays voisins sont fréquents. Beaucoup de frontaliers travaillent dans les nombreuses entreprises pharmaceutiques et chimiques, mais également dans d'autres secteurs.

Art et culture

Bâle jouit d'une excellente réputation dans les cercles culturels du monde entier. Elle est la ville des musées et de la musique. Près de quarante grandes collections y sont exposées, notamment au célèbre musée des Beaux-arts, au musée Tinguely et à la fondation Beyeler. Bâle dispose de sa propre académie de musique, de huit églises qui possèdent des orgues historiques et où l'on propose des concerts que plusieurs villes pourraient lui envier. La foire de Bâle accueille en plus des expositions qui ont lieu chaque année.

Petite ville aux atouts d'une grande

Bâle est la région économique emblématique de la Suisse et elle est l'une des plus productives au monde. Cette réussite s'explique notamment par la présence de deux des cinq plus grandes compagnies pharmaceutiques de la planète. D'importants prestataires de services financiers, logistiques, et dans les domaines du design et de l'architecture ont également fait la réputation de Bâle. Dotée d'un fleuve omniprésent, d'un beau centre historique bien entretenu, de parcs spacieux et d'habitants accueillants, voilà ce qu'est Bâle. On arrive rapidement à destination, que ce soit à pied, à vélo, en bus ou en «Trämli».

1 | Aarau, Stadt der schönen Giebel – Aarau, City of Beautiful Gables – Aarau, la ville aux magnifiques pignons

Laufen | Liestal Rheinfelden Laufenburg | Aarau

Laufen

Das kleine Städtchen Laufen mit den steilen Giebeln und den drei Toren, eingebettet ins Grün des lieblichen Laufentals mit den angrenzenden Jurahöhen, ist eine Augenweide. Als schönstes Kunstdenkmal gilt die 300-jährige St.-Katharinen-Kirche. Von hier aus lohnt sich ein Abstecher in das an der französischen Grenze liegende Benediktinerkloster Mariastein.

Liestal

Wer Basel und Liestal vergleicht, spürt gleich, dass zwei Welten aufeinandertreffen und eine Vereinigung beider Basel wohl nie möglich ist. In Liestal beginnt die Naherholungszone der Grossstädter. Die eindrücklichen Bauten von Industrie, Handel und Logistikfirmen haben sich an das Froburgerstädtchen mit seiner herausgeputzten Altstadt und ihren alten Bürgerhäusern und den Verwaltungsgebäuden von Gemeinde, Bezirk und Kanton herangeschlichen.

Rheinfelden

Wer Rheinfelden erreicht, entdeckt sofort das Industrieareal mit dem dominierenden Schloss in der Mitte. Feldschlösschen heisst die wichtigste Brauerei der Schweiz. Die älteste Zähringerstadt der Schweiz bietet einiges: ein imposantes Rathaus, barocke Fassaden, verkehrsfreie Gassen mit Geschäften, Restaurants am Rhein.

Laufenburg

Auf dem Weg vom nordwestlichsten Zipfel des Aargaus in die Kantonshauptstadt befindet sich ein weiteres Bijou: das kleine Zwillingsstädtchen Laufenburg. Die von den Habsburgern vor über 800 Jahren erbaute Stadt hat eine Art Brückenfunktion zwischen den Kulturen dies- und jenseits des Hochrheins.

Aarau

Die Kantonshauptstadt war im Jahre 1798 für ein halbes Jahr die erste Hauptstadt des Staates Schweiz. Davon zeugt die prunkvolle Laurenzenvorstadt mit grossen Bürgerhäusern, überbreiten Gehsteigen und einer schmucken Kaserne. Die Aarauer Altstadt ist ein gut erhaltenes Zentrum mit vielen spätgotischen Häusern. Eine Besonderheit sind die mehr als 70 reich bemalten Dachuntersichten, denen die Stadt auch den Claim der schönen Giebel verdankt.

Laufen | Liestal Rheinfelden Laufenburg | Aarau

Laufen

The small town of Laufen is a feast for the eyes: With its steep gables and three gates, it is embedded in the green of charming Laufental and the surrounding Jura ridge. The 300-year-old St. Catherine Church is considered its most beautiful artistic monument. From Laufen, an excursion to the Benedictine monastery of Mariastein, right at the French border, is worthwhile.

Liestal

Comparing Basel and Liestal, you will immediately sense two worlds colliding, to the extent that a unification of Basel-Landschaft and Basel-City seems highly unlikely. Liestal marks the beginning of the recreational area for Basel city dwellers. Impressive structures of industry, commerce and logistics have snuck up on the Froburg town and have mixed with its spruced up historic section and its old homes and municipal, district and cantonal government buildings.

2 | Laufen – Laufon 3 | Laufenburg 4 | Bad Ramsach, Baselbieter Jura – Bad Ramsach, le Jura bâlois 5 | Rheinfelden

Rheinfelden

If you approach Rheinfelden by car or train, you will immediately note the industrial area with its dominating castle at the center. Feldschlösschen is the name of Switzerland's most important brewery. The oldest Zähringer city in Switzerland offers a lot: an impressive town hall, baroque facades, trafficfree side streets with specialty shops, and restaurants on the Rhine.

Laufenburg

The small twin city of Laufenburg is yet another jewel on the way from the northwestern tip of Aargau towards the canton capital. Established by the Habsburgs over 800 years ago, the city has a sort of bridging function between the cultures on both sides of the Rhine.

Aarau

The canton capital was the first capital of the state of Switzerland for a half-year in 1798. This fact is still visible in the splendid Laurenzenvorstadt with its large homes, extra-wide sidewalks and picture-perfect barracks. The historic section of Aarau is a well-maintained center with largely late-Gothic houses. Another special feature: Over 70 richly painted rooftop bottoms facing the street have earned Aarau the title of the "City of Beautiful Gables".

Laufon | Liestal Rheinfelden Laufenburg | Aarau

Laufon

La petite ville de Laufon, dans sa magnifique vallée verdoyante, avec en toile de fond les sommets jurassiens limitrophes, est un magnifique témoin du Moyen Âge. On peut y admirer ses trois portes, ses pignons abrupts et son fleuron, l'église Sainte-Catherine, vieille de 300 ans. Non loin de Laufon, l'abbaye bénédictine de Notre-Dame-de-la-Pierre, à la frontière française, vaut le détour.

Liestal

Bâle et Liestal sont deux mondes très différents, rendant la réunion des deux Bâles visiblement impossible, même si Liestal marque le début de la zone de loisir de proximité des citadins. Dans cette petite ville fondée par la famille de Froburg, les énormes bâtiments industriels, commerciaux et logistiques ont pris le pas sur les anciennes maisons bourgeoises de la Vieille Ville et sur les bâtiments administratifs de la municipalité, du district et du canton.

Rheinfelden

En arrivant, on est frappé par l'immense aire industrielle dominée par le Château Feldschlösschen, abritant la plus grande brasserie du pays. Rheinfelden est la plus ancienne ville fondée en Suisse par les Zähringen. Ses curiosités : l'imposant Hôtel de Ville, les façades baroques, les ruelles piétonnes magnifiquement entretenues et les restaurants qui bordent le Rhin.

Laufenburg

Au nord-ouest de la capitale du canton d'Argovie, se trouve un autre trésor de plus de 800 ans que l'on doit aux Habsbourg, et formant passerelle des cultures du Haut-Rhin : Laufenburg, villes jumelles suisse et allemande.

Aarau

La capitale du canton d'Argovie fut, en 1798, pendant six mois, proclamée première capitale de la République helvétique. La magnifique Laurenzenvorstadt avec ses énormes maisons bourgeoises, ses trottoirs très larges et sa coquette caserne en restent les témoins. Le Vieille Ville d'Aarau est un centre historique bien conservé avec une prédominance de maisons de style gothique flamboyant. Avec plus de 70 avant-toits richement peints, Aarau peut se prévaloir du titre de ville aux magnifiques pignons.

1 | Bremgarten mit Reuss im Vordergrund – Bremgarten with Reuss in the foreground – Bremgarten avec la Reuss au premier plan

Lenzburg Schloss Hallwyl Muri | Bremgarten

Lenzburg

Erbaut wurde die historische Altstadt, so wie sie heute ist, Ende 16./Anfang 17. Jh. Die Häuser sind meist multifunktional: im Erdgeschoss Läden und Restaurants, oben Büros und Wohnungen. In der Fortsetzung der oberen Altstadt beginnt der Schlossberg in die Höhe zu wachsen, der zusammen mit dem Goffersberg eine einmalige Hügellandschaft bildet. Das Schloss Lenzburg ist eine der schönsten und bedeutendsten Höhenburgen der Schweiz. Die heutige Anlage entstand in einer 900-jährigen Bauzeit. Die ursprüngliche Burg wandelte sich von der Grafenresidenz zum Amtssitz der Berner Landvögte bis zum Sitz reicher Amerikaner. Heute werden Kinder und Erwachsene mit Ausstellungen und Workshops, Erlebnistagen und Veranstaltungen zum Mittelalter in die Ritterzeit entführt.

Schloss Hallwyl – Kloster Muri

Anfang 14. Jahrhundert liess einer der Herren von Hallwyl (Johans) die bescheidene Burg zu einem zweiteiligen, befestigten Wasserschloss ausbauen. Heute ist die romantische Anlage, mitten im riesigen Naturschutzgebiet am Hallwilersee, eines der bedeutendsten Wasserschlösser der Schweiz. Besonders zu empfehlen ist nach dem Schlossbesuch eine Wanderung am absolut unverbauten Ufer des Sees.
Das Kloster Muri war schon immer ein Wallfahrtsort. Schon die schiere Grösse der Anlage und die Hühnerhaut erzeugende Klosterkirche (Ende 17. Jahrhundert von einer romanischen in eine barocke Kirche umgebaut) sind eindrucksvoll. Die wechselvolle Geschichte des Benediktinerklosters würde Bände füllen. Im Kreuzgang mit dem wertvollen Glasgemäldezyklus befindet sich die Habsburger Gruft.

Freiamt

Ein Abstecher in die Reussebene ist nach der langen, aufwändigen Renaturierung zu einem geschützten Auengebiet von 400 Hektaren fast ein Muss. Hier kann Natur am Gotthardwasser geatmet werden. Wir besuchen danach das von den Habsburgern gegründete Städtchen Bremgarten an der Reuss. Ein Schokoladenort, auf allen Kalendern und in allen Bildbänden verewigt. Bremgarten ist seit dem 15. Jahrhundert das kulturelle Zentrum des Freiamts.

Lenzburg Hallwyl Castle Muri | Bremgarten

Lenzburg

The historic old town in its current state was constructed in the late 16th/early 17th century. The buildings are largely multifunctional: Shops and restaurants on the ground floor, offices and apartments on the floors up above. Beyond the upper old town towers the Schlossberg, forming a unique hilly landscape with the Goffersberg. Lenzburg Castle is one of the most beautiful and important mountain castles in Switzerland. The castle in its present state took 900 years to build. The original castle transitioned from being the count's residence to the office seat of the Bernese provincial governors to the home of rich Americans. Today, children and adults are transported to the medieval age of knights with exhibits, workshops, fair days and events.

Hallwyl Castle – Muri Abbey

In the early 14th century, one of the lords of Hallwyl (Johans) allowed the humble castle to be expanded into a two-part, fortified and moated castle. Today, with its romantic

2 | Kloster Muri – Muri Abbey – Couvent de Muri 3 | Wasserschloss Hallwyl – Hallwyl moated castle – Château d'eau de Hallwyl
4 | Baden 5 | Schloss Lenzburg – Lenzburg Castle – Château de Lenzburg

location in the middle of a large nature reserve on Hallwil Lake, it is one of Switzerland's most significant moated castles. A walk along the entirely unspoiled lakeshore is especially recommended after visiting the castle.

Muri Abbey has always been a place of pilgrimage. The sheer size of the monastery grounds alone is impressive, and even more so when coupled with the goosebump-inducing abbey (renovated in the late 17th century from Romance style into Baroque church). The diverse history of the Benedictine monastery could fill volumes. The tomb of the Habsburgs is located in the cloister with the precious stained glass cycle.

Freiamt

A trip to the Reuss lowlands is almost mandatory considering the long, expensive renaturation project that turned it into a protected alluvial zone of 400 hectares. This is an incredible patch of nature close to the waters of the Gotthard. We subsequently pay a visit to the town of Bremgarten on the Reuss, which was founded by the Habsburgs. A chocolate-making town, it has been immortalized in calendars and picture books. It has been the cultural center of the Freiamt since the 15th century.

Lenzburg Château de Hallwyl Muri | Bremgarten

Lenzburg

Tel qu'il apparaît aujourd'hui, le centre historique de Lenzburg, a été construit à la fin du XVIe et au début du XVIIe siècles. La plupart des maisons ont différentes fonctions: le rez-de-chaussée est occupé par des boutiques et des restaurants, et au-dessus par des bureaux et des habitations. Le château de Lenzburg occupe tout le sommet d'une colline, dans le prolongement de la Vieille Ville haute, et constitue avec le Goffersberg un paysage vallonné. Le château de Lenzburg est l'une des plus imposantes et plus belles forteresses dominantes de Suisse. La structure actuelle est l'aboutissement de 900 ans de travaux. Le château, à l'origine résidence des comtes, a été conquis par les Bernois, servant alors d'habitation aux baillis. De riches Américains l'ont acquis. Mais de nos jours, enfants et adultes, grâce à des expositions, des ateliers, des journées thématiques et des animations se familiarisent avec la chevalerie du Moyen Âge.

Château de Hallwyl – Couvent de Muri

Au début du XIVe siècle l'un des seigneurs de Hallwil, fit transformer la modeste bâtisse en un château d'eau fortifié en deux parties reliées par un pont-levis. A l'heure actuelle, c'est encore l'un des plus impressionnants châteaux d'eau de Suisse, situé dans une réserve naturelle au bord du lac de Hallwil.

Le couvent de Muri a toujours été un lieu de pèlerinage. La taille du site et l'extraordinaire église du monastère (de style roman à l'origine, et transformée en église baroque à la fin du XVIIe siècle) sont impressionnantes. On pourrait écrire de passionnantes chroniques sur l'histoire mouvementée de ce monastère bénédictin. Le cloître renferme le caveau des Habsbourg et le cycle précieux des vitraux Renaissance.

Freiamt

Une randonnée est recommandée dans la plaine de la Reuss, zone alluviale de 400 hectares, praticable grâce aux grands travaux entrepris. Les eaux du Gothard sont un bon bol d'oxygène. Bremgarten sur la Reuss, ville également fondée par les Habsbourg, est un lieu agréable et paisible, immortalisé par tous les calendriers et brochures touristiques. Elle est depuis le XVe siècle le centre culturel du Freiamt.

1 | Schaffhausen mit Munot – Schaffhausen with Munot – Schaffhausen et le Munot

Bad Zurzach Schaffhausen Stein am Rhein

Bad Zurzach

Anfang des letzten Jahrhunderts entdeckte man ein grosses Salzlager. Bei den Salzbohrungen kam auch eine Thermalquelle zum Vorschein, die aber dazumal wieder zubetoniert wurde. Erst vierzig Jahre später machten sich private Investoren daran, die Quelle erneut anzubohren, um Kapital aus dem heiss quellenden Heilwasser zu schlagen. Die ersten Kurgäste kamen 1955, um im improvisierten Thermalbad ihren schmerzenden Gliedern Linderung zu verschaffen. Fast ausnahmslos nahmen die Menschen das Wasser in Flaschen auch mit nach Hause. Heute gibt es in Bad Zurzach neben den Badehotels eine Rheuma- und Rehabilitationsklinik. Nach dem Baden lohnt sich ein Rundgang im «Flecken», wo die geschlossenen Häuserzeilen dem Ort ein kleinstädtisches Gepräge geben. Nicht übersehen werden kann das allgegenwärtige Verenamünster. Einst und noch heute ein viel besuchter Wallfahrtsort.

Schaffhausen

Ein belebtes, verkehrsfreies , gut erhaltenes Zentrum macht den Charme der historischen Altstadt aus. Die privilegierte Lage über dem Rhein lässt Ferienstimmung aufkommen. Vom Munot aus, dem Wahrzeichen Schaffhausens, können die einzigartige Rheinlandschaft und die vielen grünen, teils bewaldeten Hügel der Umgebung herrlich überblickt werden. Der Munot wurde im 16. Jahrhundert als Artilleriefestung mit grossem Turm gebaut. Weitere wichtige kulturelle Eckpunkte sind das Museum zu Allerheiligen (im ehemaligen Kloster), die Hallen für neue Kunst (minimal art), die Kirche St. Johann und das Schaffhauser Münster für die Freunde der klassischen Musik.

Stein am Rhein

Mit Auto, Fahrrad, Bahn oder Schiff können wir das Ziel der heutigen Etappe erreichen. Hier, wo der Bodensee wieder zum Rhein wird, liegt das vielbesuchte Städtchen mit den bemalten Häuserfassaden und Fachwerkhäusern, das schon namhafte Preise für die vorbildliche Pflege erhielt. Die Kleinstadt ist wirklich sehenswert, und jede zweite Türe lädt zum Essen und Trinken ein. Besuchen sollte man auch das Kloster St. Georgen und das Museum Lindwurm.

Bad Zurzach Schaffhausen Stein am Rhein

Bad Zurzach

At the beginning of the last century, a large salt deposit was discovered. While mining for salt, a thermal spring was also revealed, but was again covered with concrete. It took another forty years for the spring to be dug out again by private investors, who were hoping to make a profit with the naturally hot spring water. In 1955, the first wellness guests arrived to alleviate their aching joints in the improvised thermal bath. It was also very common among guests to bottle up some of the water to take home with them. Today, alongside the spa hotels, there is also a rheumatism and rehabilitation clinic in Bad Zurzach. After bathing, it is worth taking a walk in the "Flecken", where the closed rows of houses give the area a small-town feel. The omnipresent Verena Cathedral cannot be overlooked. It was, and remains, a frequently visited pilgrimage destination.

2 | Rheinfall bei Neuhausen – Rhine Falls near Neuhausen – Les Chutes du Rhin à Neuhausen 3 | Rhein bei Diessenhofen – Rhine near Diessenhofen – Le Rhin à Diessenhofen 4 | Stein am Rhein 5 | Thermalbad «Bad Zurzach» – Thermal spa "Bad Zurzach" – Thermes «Bad Zurzach»

Schaffhausen

An animated, traffic-free, well-maintained center makes up the charm of the historic old town. The privileged location along the Rhine will get anybody in the mood for a vacation. From the Munot, the symbol of Schaffhausen, one gets a perfect view of the unique Rhine landscape and the many green, partially forested hills of the surrounding region. The Munot was constructed in the 16th century as an artillery fortress with a large tower. Further significant cultural cornerstones are the All Saints Museum (in the former abbey), the Halls for New Art (minimal art), the Church of St. John, and the Schaffhausen Cathedral for fans of classical music.

Stein am Rhein

The destination of today's journey can be reached by car, bicycle, train or ship. Here, at the point where Lake Constance again becomes the Rhine River, lies this popular town with its painted house facades and frame houses – a town that has already won renowned prizes for its preservation efforts. The town is definitely worth seeing, and there are culinary treats waiting behind every other door. Also consider a visit to St. George Abbey and the Lindwurm Museum.

Bad Zurzach Schaffhouse Stein am Rhein

Bad Zurzach

Au début du siècle dernier, un grand gisement de sel y fut découvert. Une source d'eau chaude jaillit lors des forages. Mais elle alors fut bétonnée. Quarante ans plus tard, des investisseurs privés firent rejaillir la source, avec comme objectif de s'enrichir grâce à cette eau thermale. Les premiers curistes vinrent en 1955 dans un spa improvisé pour soigner leurs membres douloureux. Presque tous quittaient les lieux avec une bouteille de cette eau curative. Aujourd'hui, il y a à Bad Zurzach des hôtels thermaux, une clinique de rhumatologie et de rééducation. Après le bain, une visite du «Flecken» s'impose. Ce réseau de rues perpendiculaires est la grande richesse architecturale de cette petite ville. La collégiale Sainte-Vérène est encore, de nos jours, un lieu de pèlerinage populaire.

Schaffhouse

Un centre vivant bien conservé, piétonnier, fait le charme du quartier historique. L'emplacement privilégié surplombant le Rhin donne une ambiance de vacances. De la forteresse du Munot, emblème de Schaffhouse, on peut admirer le paysage grandiose du Rhin et sa luxuriante végétation, ainsi que les collines partiellement boisées des environs. Le Munot a été construit au XVIe siècle; sa grande tour faisait office de forteresse d'artillerie. Les autres lieux culturels importants sont le musée de l'ancien couvent bénédictin de Tous-les-Saints (Allerheiligen), les halles d'art contemporain (art minimal), l'église réformée St-Jean et, pour les amateurs de musique classique, la cathédrale de Schaffhouse.

Stein am Rhein

Stein am Rhein se trouve au confluent du Rhin et du Lac de Constance. Cette célèbre petite ville médiévale suscite l'admiration. Ses façades peintes, ses maisons à colombages et ses enseignes donnent envie de flâner et de s'arrêter pour se restaurer. Le monastère St-Georges et le musée Zum Lindwurm (Au Dragon) valent une visite. Pour ses efforts de sauvegarde du patrimoine, Stein am Rhein a déjà été honorée de prix prestigieux. Elle est accessible aujourd'hui en voiture, à vélo, en train ou en bateau.

1 | Steckborn

Steckborn Schloss Arenenberg Kreuzlingen Romanshorn

Bodensee

Unsere deutschen Freunde nennen ihn auch liebevoll «Schwäbisches Meer». Der Bodensee setzt sich aus Obersee, Untersee, Überlinger See und Flussrhein (zwischen Konstanz und Gottlieben) zusammen. Die Gesamtfläche ist beeindruckend: total 540 km^2. Er ist das drittgrösste Binnengewässer in Europa. Gespeist wird der See von elf Flüssen, von denen der Rhein aber mehr als drei Viertel des Wassers liefert.

Steckborn

Es lohnt sich, in Steckborn einen längeren Halt zu machen. Die malerische Altstadt ist sehenswert und liegt direkt am Ufer des Untersees. Einst Sitz der Äbte der Insel Reichenau, ist Steckborn heute ein Bezirkshauptort im Kanton Thurgau. Wer sich für die Geschichte und die Kultur des Untersees interessiert, besucht am besten das Museum im Turmhof.

Schloss Arenenberg

Voller Stolz nennen es die Thurgauer «Das schönste Schloss am Bodensee». In Mannenbach/Salenstein, hoch über dem See, beherbergt es das bekannte Napoleonmuseum. Hier finden auch viele Sonderausstellungen zu Themen vom Leben am Hof statt.

Kreuzlingen

Kreuzlingen ist Wirtschaftsstandort und Wohngemeinde für fast 20 000 Einwohner. Und Tourismusort. Eine Überraschung ist das wie siamesische Zwillinge zusammengewachsene mittelalterliche Stadtzentrum von Kreuzlingen und Konstanz. Nur wenige Schritte sind es in die deutsche Universitätsstadt. Heilkräuter- und Gewürzpflanzengarten Seeburg, Planetarium, Sternwarte, Seemuseum, Seeuferanlage, Tierpark und vieles mehr warten auf die Besucher.

Romanshorn

Am See gibt es Flaniermeilen. Auf Wasserratten wartet ein spektakuläres Bad. Romanshorn ist Dreh- und Angelpunkt. Hier fährt die Bahn, fahren die Schiffe und Fähren und führen die Strassen und Fahrradwege in alle Richtungen.

Steckborn Arenenberg Castle Kreuzlingen Romanshorn

Lake Constance

The lake is also affectionately called the "Swabian Sea" by our German friends. Lake Constance consists of the Obersee (Upper Lake), Untersee (Lower Lake), Überlinger See, and the "Flussrhein" (between Konstanz and Gottlieben). Its total area is impressive: 540 km^2. It is thus the third-largest inland body of water in Europe. The lake is fed by eleven rivers; however, the Rhine provides more than three quarters of its water.

Steckborn

It is worth making a longer stop in Steckborn. The picturesque old town is a must-see and lies directly on the shore of the Untersee. Once the seat of the abbots of the island of Reichenau, today Steckborn is a chief municipality in the canton of Thurgau. Anybody interested in the history and culture of the Untersee should consider a visit the "Museum im Turmhof".

2 | Schloss Arenenberg – Arenenberg Castle – Le château d'Arenenberg 3 | «Seeburg» in Kreuzlingen – «Seeburg» à Kreuzlingen
4 | Obstplantage – Fruit plantation – Vergers 5 | Romanshorn mit Fähre – Romanshorn with ferry – Romanshorn et son bac

Steckborn | Château d'Arenenberg Kreuzlingen Romanshorn

Arenenberg Castle

Locals quite proudly call it "the most beautiful castle on Lake Constance". In Mannenbach/Salenstein, high above the lake, it houses the famous Napoleon Museum and also features many special exhibits about life at court.

Kreuzlingen

Kreuzlingen is a commercial town and home to almost 20,000 residents – and it is a tourist destination. Surprisingly, the medieval city center of Kreuzlingen/Konstanz has developed almost like Siamese twins. The German university town is just a few steps away. Attractions for visitors include the Natural Remedy and Herb Garden Seeburg, the planetarium and observatory, the Lake Museum, the seashore, zoo, and much more.

Romanshorn

Relax by strolling along one of the many lake promenades. For water lovers, there is a spectacular spa. Romanshorn is a major hub. It is a starting point for trains, ships and ferries and streets and bicycle paths lead from and to it in all directions.

Lac de Constance

Ses riverains allemands le nomment affectueusement «la Mer souabe». Le lac de Constance comprend l'Obersee (Lac supérieur), de l'Untersee (Lac inférieur), du lac d'Überlingen et du Rhin (entre Constance et Gottlieben). Son impressionnante surface totale de 540 km² en fait le troisième plus grand lac intérieur d'Europe. Il est alimenté par onze rivières, et le Rhin en fournit plus des trois-quarts.

Steckborn

Située sur les rives du Lac inférieur, Steckborn vaut le détour. Elle fut jadis le siège des abbés de l'île de Reichenau, et sa Vieille Ville pittoresque enchante le visiteur. Steckborn est aujourd'hui le chef-lieu du canton de Thurgovie. Les personnes intéressées par l'histoire et la culture de l'Untersee (Lac inférieur) visiteront le musée de Turmhof avec intérêt.

Château d'Arenenberg

C'est remplis de fierté que les Thurgoviens l'appellent «le plus beau château du lac de Constance». Situé à Mannenbach/Salenstein, bien au-dessus du lac, il abrite le célèbre musée Napoléon. De nombreuses expositions spéciales sur le thème de la vie à la Cour y sont organisées.

Kreuzlingen

Kreuzlingen est un site économique et résidentiel de presque 20 000 habitants. Le centre-ville moyenâgeux est apprécié des touristes. Kreuzlingen et Constance en Allemagne, sont géographiquement siamoises. A Kreuzlingen, le jardin des plantes médicinales et aromatiques de Seeburg, le planétarium, l'observatoire astronomique, le musée lacustre, le parc animalier et bien d'autres sites encore, font la joie et suscitent l'intérêt des visiteurs.

Romanshorn

A Romanshorn, les zones piétonnes du bord du lac invitent à la flânerie. Les amateurs apprécieront une zone de baignade spectaculaire. Romanshorn est un point de convergence. Le train y passe, les navires et les bacs y circulent, les routes et les pistes cyclables partent dans toutes les directions.

1 | St. Gallen mit Klosterviertel im Vordergrund – St. Gallen abbey district in the foreground – St-Gall avec les quartiers du monastère au premier plan
2 | Arbon 3 | Kornhaus Rorschach – Granary Rorschach – Grenier à grain de Rorschach

Arbon
Rorschach
St. Gallen

Arbon

Die sehr urban wirkende Kleinstadt hat römische Wurzeln und hiess ursprünglich Arbor Felix, was so viel heisst wie «glücklicher Baum». Im Wappen ist ein grafisch schön gestalteter Baum mit einer glücklichen Vogelfamilie. Die historische Altstadt mit den renovierten Häusern lädt zum Verweilen ein. Drei Kilometer Seeufer bieten fast alles, was es zum Leben am Wasser braucht. Die 500-jährige Schlossanlage beherbergt kein Museum, sondern dient den Menschen als Treffpunkt für Feste und Feiern.

Rorschach

Auf der Schiene und auf der Strasse, auf dem Wasser oder in der Luft (Flugplatz Altenrhein) treffen sich hier die Verkehrslinien im Dreiländereck Schweiz-Deutschland-Österreich. Gegenüber Rorschach liegt die deutsche Inselstadt Lindau. Zusammen mit dem appenzellischen Hinterland, das hoch über dem Bodensee thront, und den Rorschacherberggemeinden hat die viel besuchte Stadt am oberen Bodensee viel zu bieten: das Kloster Mariaberg, das Museum im Kornhaus und das bedeutende Fliegermuseum, das seine Ausstellungsstücke auch fliegen lässt. Ein Besuchermagnet ist auch die katholische Kirche St. Kolumban und Konstantius.

St. Gallen

Die Kantonshauptstadt ist unbestritten das wirtschaftliche und kulturelle Zentrum der Ostschweiz. Die Universität (Hochschule für Wirtschaft) hat in Europa einen hervorragenden Ruf. Überstrahlt wird alles Schöne, Überlieferte, Traditionelle und Eindrückliche vom «Stiftsbezirk». Er wurde 1983 in seiner Gesamtheit in die Liste des UNESCO-Weltkulturerbes aufgenommen. Der imposant grosse Stiftsbezirk mit Stiftsbibliothek, Klosteranlage und nicht an einer Hand abzählbaren Kirchen steht für 1200 Jahre Geschichte. Beim Gang durch die Altstadt schweift der Blick zu den vielen verzierten Erkern. Sie erzählen von den Erlebnissen der St. Galler Textilunternehmer in aller Welt. Östlich des Stadtzentrums befindet sich das heutige kulturelle Zentrum mit Tonhalle, Stadttheater und wichtigen Museen: historisches Museum, Kunstmuseum, Völkerkundemuseum, Naturmuseum.

Arbon
Rorschach
St. Gallen

Arbon

This small town with an urban feel has Roman roots and was originally called Arbor Felix, which roughly translates to "happy tree". The city's coat of arms shows a beautiful graphic depiction of a tree with a happy family of birds. The historic old town with its renovated buildings is a perfect place to linger. Three kilometers of lakeshore offer everything you need to live by the water. For a change, the 500-year-old castle is not home to a museum, but rather serves as a meeting point for parties and celebrations for the citizens.

Rorschach

On the rails and on the road, on the water or from the sky (Altenrhein airfield): this is where the traffic lines of the tri-border area of Switzerland, Germany, and Austria intersect. Directly across from Rorschach lies the German island town of Lindau. In combination with the Appenzell hinterland, which towers high above Lake Constance, and the Rorschach mountain villages, this popular city on the upper Lake Constance

4 | St. Galler Altstadt – St. Gallen old town – Vieille Ville de St-Gall 5 | Stiftsbibliothek St. Gallen mit alten Holztäferungen und Fresken – Abbey library St. Gallen with old wood panels and frescoes – Bibliothèque du couvent de St-Gall avec ses appliques boisés et ses fresques

has much to offer: Mariaberg Abbey, the Museum im Kornhaus (museum in the granary) and the important Aviation Museum, where part of the exhibit is ready for take-off. Another visitor attraction is the Catholic Church of St. Kolumban and Constantius.

St. Gallen

The canton capital is unquestionably the economic and cultural center of eastern Switzerland. The university (College for Economics) has a phenomenal reputation throughout Europe. Everything beautiful, traditional, cultural and impressive blooms from the "abbey district". The entire district was declared a UNESCO World Heritage Site in 1983. The impressively large abbey district with its library, its monastery buildings and countless churches represents 1200 years of history. When you take a walk through the old town, take note of the many decorated oriels, which document the experiences of St. Gallen textile entrepreneurs all around the world. East of the city center is today's cultural center with concert hall, city theater and important museums: the history museum, art museum, ethnological museum, and natural museum.

Arbon Rorschach St-Gall

Arbon

Ce lieu très urbanisé a cependant des racines romaines, puisque la petite ville s'appelait à l'origine Arbor Felix, «l'arbre heureux». Le blason d'Arbon représente cet arbre peuplé d'oiseaux au nid. La Vieille Ville historique aux maisons restaurées s'offre à l'admiration des flâneurs. Les rives du lac, promenade de trois kilomètres, proposent tout ce qu'il faut pour avoir envie de s'y attarder. Le site du château vieux de 500 ans n'abrite pas de musée, mais il est utilisé comme lieu de rencontres pour les fêtes et les célébrations.

Rorschach

Face à Rorschach sur les rives du Lac supérieur, se trouve la ville-île de Lindau, en Allemagne. Par l'eau, le rail, la route ou les ailes (aérodrome d'Altenrhein), la circulation dans cette région transfrontalière Suisse-Allemagne-Autriche est très dense. Les montagnes d'Appenzell et les villages voisins en arrière-plan de Rorschach au-dessus du lac de Constance, cadre idyllique, sont une invite aux excursions. Ayant beaucoup à offrir, la ville est très visitée: le couvent de Mariaberg, l'église Saints-Colomban-et-Constant et le Musée du plus beau grenier à grains de Suisse. S'y trouve aussi l'important musée de l'aviation qui fait voler des pièces de sa collection.

St-Gall

La capitale du canton est incontestablement le centre économique et culturel de la Suisse orientale. L'Université (haute école d'économie) a une excellente réputation en Europe. Toute la beauté, la tradition, l'atmosphère sont dévolues au «Couvent». Il a été inscrit en 1983 dans son intégralité à la liste des sites du patrimoine mondial de l'UNESCO. Cet imposant ensemble, avec sa bibliothèque, son monastère et ses innombrables églises représentent 1200 ans d'histoire. En flânant dans la Vieille Ville, on découvre de nombreuses fenêtres ornées, en saillie. Ces ornements exaltent l'histoire et l'habileté des artisans dont les textiles sont connus du monde entier. L'actuel centre culturel se trouve à l'est du centre-ville. Il comprend une salle de concert, le théâtre municipal et d'importants lieux culturels, tels le Musée historique, le Musée d'Art, le Musée ethnographique et le Musée d'histoire naturelle.

1 | Ebenalp 2 | Gais 3 | Alpstein, Fälensee

Herisau | Appenzell Inner- und Ausserrhoden

Herisau

Herisau ist mit seinen 16 000 Einwohnern der grösste Ort im Appenzellerland. Früher teilten sich Trogen und Herisau in die Verwaltung des Kantons Appenzell Ausserrhoden. Heute sind alle Bereiche hier zentralisiert. In Herisau treffen sich Bauern und Bäuerinnen in wunderschönen Trachten mit Touristen aus aller Welt. Niemand scheint sich an den Gegensätzen zu stören. Zu den häuftigsten besuchten Sehenswürdigkeiten gehören der Dorfkern, der den Charakter einer Altstadt hat, aber keine ist, und die reformierte Pfarrkirche St. Laurentius, die 1520 im spätgotischen Stil erbaut wurde.

Appenzell

Die landschaftliche Schönheit kann buchstäblich mit Händen gegriffen werden. Wie Spielzeughäuser sind die kleinen Bauerngüter über die Wiesen verteilt. Appenzell ist geprägt von den farbig gestalteten Bauten aus der Zeit nach dem verheerenden Brand anno 1560. Es lohnt sich, die jährlich im Frühling stattfindende Landsgemeinde zu besuchen. Direkter geht Demokratie nicht. Glarus und Appenzell Innerrhoden sind die letzten Stände, in denen diese Tradition überlebt hat.

Appenzeller Käse

In der Schaukäserei Stein, auf der Höhe im Dreieck Herisau–Teufen–Appenzell, können Besucher der Käseproduktion zuschauen. Alles ist übersichtlich. Weil die Kräutersulz, mit der die Laibe gepflegt werden, etwas Besonderes ist, machen die Appenzeller Käser ein Geheimnis darum. Sie haben damit eines der besten Marketingkonzepte in der Markenpolitik.

Mehr Appenzeller Erlebnisse

- Das Kinderdorf Pestalozzi in Trogen.
- In Gontenbad wird im einzigartigen Naturmoorbad Wohlbefinden für alle Sinne geboten.
- Ein Event für Berggänger ist die geführte Wanderung «Rondom» um den Hohen Kasten mit den Themen Natur und Geschichte der Seilbahn und dem Drehrestaurant am Ziel.

Herisau | Appenzell Inner and Outer Rhodes

Herisau

With 16,000 residents Herisau is the largest town in the Appenzell region. Trogen and Herisau once shared administration of the canton of Appenzell. Today, Herisau serves as the regional center. In town, farmers in wonderful traditional costumes mix with tourists from all over the world. Nobody appears disturbed by the contrasts. Visitors are most frequently drawn to the village center with its old town feel and to the reformed parish church of St. Laurentius, which was built in the late Gothic style in 1520.

Appenzell

The natural beauty of this area seems almost tangible. Small farms are scattered along the meadows like toy houses. Appenzell's appearance is defined by the colorfully designed buildings from the period after the devastating fire in 1560. It is worth visiting the annual Landsgemeinde ("cultural assembly"), held each spring. This is the

4 | Appenzell, Landsgemeinde – Appenzell, États généraux
5 | Silvesterchläuse Appenzell Ausserrhoden – "Silvesterchläuse", Appenzell Outer Rhodes – «Silvesterchläuse» Appenzell Rhodes Extérieures

most direct form of democracy to be witnessed today. Glarus and Appenzell Inner Rhodes are the last places where this tradition has survived.

Appenzeller Cheese

In the show dairy in Stein, on the hill on the corner of Herisau–Teufen–Appenzell, visitors can observe the production of cheese down to its every little detail. Because the herbal brine used to cure the loaves is unique to their cheeses, Appenzeller cheesemakers have kept it a secret – and the secret has long turned into a successful branding strategy.

More Appenzell experiences

- The Pestalozzi Children's Village in Trogen.
- Relax and awaken all your senses in the unique, natural peat bath in Gontenbad.
- Mountain enthusiasts can join the guided hike "Rondom" around the Hoher Kasten. The hike offers plenty of information on the natural environment, the history of the cable car and the rotating restaurant at the end.

Herisau | Appenzell Rhodes-Intérieures et Exterieures

Herisau

Herisau, avec ses 16 000 habitants, est la plus grande localité de la région d'Appenzell. Auparavant, Trogen et Herisau se partageaient l'administration du canton d'Appenzell Rhodes-Extérieures. Aujourd' hui, tous les secteurs y sont centralisés. À Herisau les paysans et paysannes en magnifiques tenues folkloriques se mêlent aux touristes du monde entier. Le contraste semble ne déranger personne. Les attractions les plus souvent visitées sont le centre à caractère de Vieille Ville – mais qui n'en est pas une – et l'Église paroissiale réformée de St-Laurent, construite en 1520 dans le style gothique flamboyant.

Appenzell

La beauté des paysages est envoûtante. Les fermes réparties au loin sur les prairies ressemblent à des jouets en bois. La physionomie d'Appenzell est caractérisée par des maisons de bois peintes, postérieures au terrible incendie de 1560. Il est intéressant d'assister à une «Landsgemeinde» (États généraux) qui a lieu chaque année au printemps. «La Landsgemeinde» est l'expression la plus ancienne de la démocratie directe en Suisse. Glaris et Appenzell Rhodes-Intérieures sont les derniers cantons où demeure cette tradition.

Fromage d'Appenzell

Les visiteurs peuvent en suivre la fabrication à la fromagerie Stein située en altitude dans le triangle Herisau–Teufen–Appenzell. Le procédé y est clairement détaillé. Mais la recette de la saumure aux herbes, grâce à laquelle les meules de fromages sont conservées, est un secret jalousement gardé. Concept marketing oblige, pour la promotion de la marque.

Autres attractions

Elles sont nombreuses : Le village d'enfants Pestalozzi à Trogen. À Gontenbad, un bain de boue naturelle unique pour le bien-être et qui met tous les sens en éveil. La randonnée guidée «Rondom» qui mène autour du Hohen Kasten, fera découvrir aux passionnés de la montagne la nature, puis l'histoire du téléphérique et le restaurant tournant à la fin du parcours.

1 | Davos-Laret 2 | Schloss Sargans mit Gonzen – Sargans Castle with Gonzen – Le Château de Sargans et le Gonzen
3 | Aeujatal bei Klosters – Aeujatal near Klosters – L'Aeujatal à Klosters

Sargans
Bad Ragaz
Klosters | Davos

Sargans

Das von weit her gut sichtbare Schloss ist das Wahrzeichen des kleinen Grafenstädtchens am Verkehrsknotenpunkt «Graubünden-Zürich-St. Gallen-Österreich-Deutschland». Mit dem Pizol auf der anderen Talseite und dem nahen Sommer- und Wintersportort Flumserberg bietet Sargans alles, was es für erholsame Ferien braucht. Weil wir den Walensee nicht direkt aufsuchen, soll er mit dem östlich gelegenen Städtchen Walenstadt mindestens erwähnt werden.

Bad Ragaz

Die Heilkraft des Quellwassers aus der Tamina-Schlucht ist legendär. Die ersten Badekuren in Bad Ragaz wurden vor über 600 Jahren angeboten. Damals wurden Patienten in ein Tuch gewickelt und an einem Seil in die Schlucht mit dem warmen Thermalwasser hinuntergelassen. Heute stehen Gesundheit, Beauty und Wellbeing im Vordergrund. Das medizinische Zentrum und ein Ärztehaus haben über die Landesgrenzen hinaus einen hervorragenden Ruf.

Klosters

Der Ort bietet einen besonderen Mix aus prominentem Bergferienort und der Idylle eines ursprünglichen Bündner Dorfes. Eingebettet im ländlich gebliebenen Teil des Prättigaus bildet es einen starken Kontrast zur sehr nahen städtischen Alpenmetropole Davos. Familien fühlen sich hier wegen der vielen kinderfreundlichen Einrichtungen sehr wohl. Die Gotschnabahn auf den Hausberg von Klosters bringt die Wanderer und Skifahrer in die Sportarena von Davos.

Davos

Geheilte Tuberkulosekranke machten Davos im 19. Jahrhundert als Luftkurort berühmt. Mit dem Bau der Rhätischen Bahn von Landquart über den Wolfgangpass (1890 eröffnet) wurde die Entwicklung des Kur- und Tourismusortes stark beschleunigt. Hotels, Sanatorien, Pensionen und Villen schossen wie Pilze aus dem Boden. Heute zählt Davos rund 5500 Betten in Hotels und 16 000 in Ferienwohnungen. Davos ist damit der grösste Gastgeber Europas. Weltweit bekannt wurde Davos auch durch das WEF (World Economic Forum).

Sargans
Bad Ragaz
Klosters | Davos

Sargans

The castle, visible from far away, is the symbol of the small town at the traffic junction between "Graubünden-Zurich-St. Gallen-Austria-Germany". With the Pizol mountain on the other side of the valley and the Flumserberg, a nearby summer and winter sport area, Sargans offers everything you need for a relaxing vacation. Also noteworthy is the Walensee (lake Walen) and the town of Walenstadt to the east.

Bad Ragaz

The healing power of the spring water from the Tamina Gorge is legendary. The first spa treatments in Bad Ragaz were offered over 600 years ago. Back then, patients were wrapped in a towel and lowered into the warm thermal water of the gorge with a rope. Today, the spa's focus is on health, beauty and well-being. The medical center and a doctor's office have an excellent reputation abroad.

4 | Bad Ragaz, Tamina Therme (öffentliches Thermal-Heilbad) – Bad Ragaz, Tamina Springs (public thermal medicinal spa) – Bad Ragaz, thermes de Tamina (station thermale publique) 5 | Klosters

Sargans Bad Ragaz Klosters | Davos

Klosters

The town offers a unique mix of prominent destination for mountain vacations and the idyll of an original Helvetic village. Nestled in the part of the Prättigau that is still largely agricultural, it forms a strong contrast to the very near alpine metropolis of Davos. The place is very popular with families because of the many facilities for children. The Gotschnabahn cable car brings hikers and skiers to Kloster's "own" mountain and to the sports area of Davos.

Davos

In the 19th century, cured tuberculosis patients made Davos famous as a climatic spa. With the construction of the Rhaetian Railway from Landquart over the Wolfgang Pass (opened in 1890), the development of the spa and tourist destination quickly accelerated. Hotels, sanatoriums, inns and villas shot up like mushrooms. Today, Davos is home to around 5,500 hotel beds and 16,000 beds in vacation homes, making Davos a major host for tourists in Europe. Davos also became known around the world for the WEF (World Economic Forum).

Sargans

Bien visible au loin, le château est l'emblème de la petite cité ducale située sur l'axe « Grisons-Zurich-Saint-Gall-Autriche-Allemagne». Avec le Pizol de l'autre côté de la vallée et la proche station de sport d'hiver et d'été Flumserberg, Sargans offre tout ce que l'on peut souhaiter pour passer des vacances reposantes. Il convient de mentionner le beau Lac de Walen et la ville de Walenstadt à l'est de celui-ci.

Bad Ragaz

Le pouvoir de guérison de l'eau de source des gorges de la Tamina est légendaire. Les premières cures thermales de Bad Ragaz étaient proposées il y a plus de 600 ans. On enveloppait alors les patients dans un drap, et on les plongeait à l'aide d'une corde dans les gorges d'eau thermale chaude. De nos jours, la santé, la beauté et le bien-être sont assurés par l'établissement thermal, le centre médical et une clinique qui jouissent d'une excellente réputation au-delà des frontières suisses.

Klosters

A la fois village grison typique et célèbre station de montagne, Klosters est idyllique. Niché dans la partie restée rurale du Prättigau, il présente un contraste frappant avec Davos, la métropole alpine urbaine très proche. Les familles s'y sentent à l'aise en raison des nombreuses installations adaptées aux enfants. Le «Gotschnabahn» amène les randonneurs et les skieurs sur la montagne locale de Klosters au centre sportif de Davos.

Davos

Les patients guéris de la tuberculose donnèrent au XIXe siècle à la station thermale de Davos son excellente réputation. Grâce à la construction du chemin de fer rhétique partant de Landquart et franchissant le col de Wolfgang (ouvert en 1890), le développement de la station thermale et touristique a été grandement facilité. Les hôtels, sanatoriums, pensions et villas ont alors poussé comme des champignons. Aujourd'hui, Davos compte environ 5500 lits dans les hôtels, et 16000 logements de vacances. Ces chiffres en font le plus grand lieu d'accueil d'Europe. Le WEF, «World Economic Forum» (Forum économique mondial) a évidemment contribué à la grande célébrité de Davos.

1 | Scuol

Scuol | Münstertal Guarda

Scuol – Tarasp – Vulpera

Scuol (sprich schkuol) hat sich emanzipiert. Die ganze Welt weiss, dass hier und in den Nachbardörfern Bad Tarasp-Vulpera Gesundheits- und Erlebnisbäder zum Badegenuss einladen. Die Bäder werden von 25 Mineralquellen gespeist. Eine besondere Attraktion ist das erste römisch-irische Bad der Schweiz. Sogar aus den Dorfbrunnen sprudelt echtes Mineralwasser! Der Motta Naluns ist Ausgangspunkt für Wanderer, Biker und Wintersportler.

Ftan

Auf 1650 m ü. M. liegt der Ferienort mit gepflegten Hotels für die unterschiedlichsten Ansprüche. Die auf der anderen Talseite liegende Bergkette der «Unterengadiner Dolomiten» bietet ein grossartiges Panorama.

Sent

Die typische Senter Architektur mit den auffällig gestalteten Giebeln, die markante Dorfkirche mit dem eigenwilligen Turm und das aktive Leben der Bauern machen das stattliche Dorf zu etwas Besonderem. Sent und das Gebiet Sur En sind ideale Ausgangspunkte in die Täler Val Sinestra und Val d'Ulina.

Guarda

Auf der sonnigen, nach Süden orientierten Terrasse steht das kleine Dorf. Sein Charme und das prächtige Dorfbild mit sgraffitigeschmückten Engadinerhäusern lässt niemanden unberührt. 1975 bekam Guarda den begehrten Henri-Louis-Wakker-Preis. Es gehört zudem zum Inventar der Kulturgüter von nationaler Bedeutung.

Nationalpark

Das grösste Naturschutzgebiet der Schweiz mit seinen vielen Tieren und Pflanzen ist über 170 km^2 gross. Die faszinierende Wildnis kann auf guten Wegen durchwandert werden. Zernez ist auch Standort des Besucherzentrums «Nationalpark», das ganzjährig geöffnet ist.

Münstertal

Das idyllische Val Müstair ist eine eigene Welt am Ofenpass. Gepflegte Dörfer bilden einen Kontrast zum wilden Nationalpark. Sehenswert sind die Fresken im Kloster St. Johann in Müstair.

Scuol | Münstertal Guarda

Scuol – Tarasp – Vulpera

Scuol (pronounced 'shkuol') has emancipated itself. The medicinal spas in town and in the neighboring villages of Bad Tarasp and Vulpera are known all over the world. A special attraction is the first Roman-Irish spa in Switzerland. Real mineral water even bubbles up from the village wells! The Motta Naluns is the starting point for hikers, bikers and winter athletes.

Ftan

At 1,650 m above sea level, this vacation town with neat hotels has several things to offer. The mountain chain on the other side of the valley, the Lower Engadine Dolomites, offers a superb panoramic view.

Sent

This stately village is a special treat due to its combination of typical Sent architecture with eye-catching gables, the distinctive church with its unconventional tower, and the active life of the village farmers. Sent and the hamlet of Sur En are ideal starting points into the valleys of Val Sinestra and Val d'Ulina.

2 | Schweizerischer Nationalpark – Swiss National Park – Parc National Suisse 3 | Ftan
4 | Tarasp, Schloss Tarasp – Tarasp, Tarasp Castle – Tarasp, château de Tarasp 5 | Guarda

Guarda

This small village is located on the sunny, southward-facing terrace. Its charm and the picturesque sgraffiti-decorated Engadine houses will leave their mark on anyone. In 1975, Guarda received the coveted Henri-Louis-Wakker Prize. Also, it is listed in the Swiss inventory of cultural assets of national importance.

National Park

The largest nature reserve in Switzerland, with its diverse flora and fauna, spans over 170 square kilometers of fascinating wilderness and is laced with maintained hiking trails. Zernez is also the location of the visitor center "Nationalpark", which is open all year round.

Val Müstair

Near the Ofen Pass, the idyllic Val Müstair is its own little world. Neat villages form a contrast to the wild National Park. The frescoes in the church of St. Johann in Müstair are worth seeing.

Scuol | Münstertal Guarda

Scuol – Tarasp – Vulpera

La localité de Scuol (prononcer chkouol) s'est grandement développée. Les villages voisins de Bad Tarasp et Vulpera, et leurs arcs aquatiques et de santé ont acquis une notoriété mondiale. Les stations thermales sont alimentées par 25 sources d'eaux minérales. Le premier bain romano-irlandais-suisse est une attraction exceptionnelle. De la fontaine du village elle-même jaillit de la véritable eau minérale! Motta Naluns est le point de départ de sentiers pour les randonneurs, et de pistes cyclables et skiables.

Ftan

La station et ses beaux hôtels qui répondent aux exigences les plus diverses est située à 1650 mètres. La chaîne des «Dolomites de la Basse-Engadine», située sur l'autre versant de la vallée, offre un panorama grandiose.

Sent

L'architecture de ses maisons aux façades peintes et aux pignons remarquablement décorés et sa remarquable église et au clocher roman, font de Sent un grand village plein d'attraits. Les travaux des paysans ajoutent au charme anachronique de ce majestueux village. Sent et la région de Sur En sont le point de départ idéal en direction du Val Sinestra et du Val d'Ulina.

Guarda

Le petit village occupe une terrasse ensoleillée orientée plein sud. Ses maisons ornées de sgraffitis, typiquement engadinoises, en font tout le charme. En 1975, Guarda a obtenu le prix Wakker, très convoité. Il fait partie du patrimoine des biens culturels d'importance nationale.

Parc National

La faune et la flore luxuriantes de la plus grande réserve naturelle de Suisse s'étend sur plus de 170 kilomètres carrés. La nature sauvage et fascinante peut être parcourue sur des chemins faciles. Zernez héberge le centre destiné aux visiteurs du «Parc National», ouvert toute l'année.

Val Müstair

L'idyllique Val Müstair près de l'Ofenpass, est un monde à part. Les villages soignés font contraste avec le Parc National sauvage. A ne pas manquer, les fresques du monastère St-Johann à Müstair.

1 | Silsersee

Zuoz | Celerina Pontresina St. Moritz | Sils

St. Moritz

St. Moritz ist einer der bekanntesten Feriendestinationen der Welt. Hier treffen sich nicht nur die Schönen und Reichen. Dank romanischer Sprache, der Nähe zu Italien und der mehrheitlich deutschsprachigen Ortsbevölkerung kommen drei Kulturen zusammen. St. Moritz wurde durch Sportanlässe berühmt: Winterolympiaden, Cresta Run, Pferderennen auf dem gefrorenen See, Engadiner Skimarathon, Polo-, Cricket-, Golf- und Curling-Turniere.

Zuoz

Das Ortsbild gilt als das schönste im Oberengadin und ist eine Reise wert. Staunend spazieren wir durch den Dorfkern mit den stolzen Patrizierhäusern, die hier so gut erhalten sind, dass man glauben könnte, das Dorf sei im 20. Jh. erbaut worden.

Celerina

Das Nachbardorf von St. Moritz steht nicht im Geringsten im Schatten des Nobelkurortes. Landschaftlich ist die Lage kaum zu überbieten. Hier klettert die älteste Bergbahn des Kantons auf den Wander- und Schlittelberg Muottas Muragl mit seiner atemberaubenden Aussicht. Wie St. Moritz liegt Celerina am Skigebiet Corviglia/Marguns: Spass ohne Grenzen direkt vor der Haustüre.

Pontresina

Imposante Berggipfel und Gletscherwelten umrahmen den sonnigen Ferien-/Höhenkurort Pontresina. Das Dorf ist ein idealer Ausgangspunkt für Alpinisten. Auch weniger Geübte können geführte Wanderungen unternehmen und vielleicht zum ersten Mal im Leben einen Gletscher begehen (zum Beispiel den Morteratsch). Ein wunderbares Erlebnis ist ein Tagesausflug mit der Berninabahn über den gleichnamigen Pass ins italienische Tirano.

Sils

Bekannte Maler, Schriftsteller und Musiker liessen sich von der grossartigen Weite der Seenlandschaft und dem wechselnden, zauberhaften Licht inspirieren. Nietzsche, Beuys und David Bowie trugen dazu bei, dass der Ort Kulturstatus erhielt. Märchenhaft, eingebettet zwischen Silvaplaner- und Silsersee, liegt der Kraftort am Eingang zum vielbesuchten Fextal und ist ein idealer Ausgangspunkt für ausgedehnte Spaziergänge.

Zuoz | Celerina Pontresina St. Moritz | Sils

St. Moritz

St. Moritz is one of the most well-known vacation destinations in the world. Not only the rich and beautiful come here to mingle: Thanks to the Romansh language, the proximity to Italy and the primarily German-speaking residents of the town, three cultures merge here. St. Moritz became famous for sporting events: the Winter Olympics, Cresta Run, horse races on the frozen lake, the Engadin Skimarathon, polo, cricket, golf and curling tournaments.

Zuoz

The village is considered the most beautiful in Upper Engadine, and is worth a trip. A walk through the town center will leave you amazed – the proud patrician houses are so well-maintained that one would think the village was built in the 20th century.

Celerina

The neighboring village of St. Moritz is not at all overshadowed by the posh spa town. It is located in an unrivaled spot in terms of its landscape. The oldest mountain railway in the canton ascends to the hiking and

2 | Engadiner Skimarathon bei St. Moritz – Engadin Skimarathon in St. Moritz – Marathon de ski de l'Engadine à St-Moritz
3 | Schlittenhundrennen in Sils – Sled-dog race in Sils – Course de chiens de traîneaux à Sils 4 | Zuoz 5 | Celerina

sledding mountain Muottas Muragl with its breathtaking view. Like St. Moritz, Celerina is located in the ski area of Corviglia/ Marguns: fun without limits directly at your front door.

Pontresina

Imposing mountain peaks and glacial landscapes frame the sunny vacation town and mountain spa resort of Pontresina. The village is an ideal starting point for alpinists. Even those less experienced can take guided hikes and perhaps walk on a glacier for the first time in their lives (such as the Morteratsch, for instance). The day-long excursion with the Bernina train across the eponymous pass to the Italian town of Tirano is a wonderful experience.

Sils

Famous painters, authors and musicians were inspired by the incredible vastness of the lakescape and the changing, enchanting lights. Nietzsche, Beuys and David Bowie contributed to this town's status as a cultural hub. With its fairy-tale location nestled between Lake Silvaplans and Lake Sils, the town lies at the entrance to the highly frequented valley Val Fex and is an ideal starting point for extensive walks.

Zuoz | Celerina Pontresina St-Moritz | Sils

St-Moritz

St-Moritz est l'une des plus célèbres stations touristiques du monde, où se rencontrent non seulement les riches et les grands de ce monde, mais aussi une foule de vacanciers. La population autochtone est faite de trois cultures grâce à la langue romane, à la proximité de l'Italie et à la majorité germanophone. St-Moritz doit sa célébrité aux nombreuses manifestations sportives : les Jeux Olympiques d'hiver, la Cresta Run, les courses hippiques sur le lac gelé, le marathon de ski de l'Engadine, les tournois de polo, de cricket, de golf et de curling.

Zuoz

Le village est considéré comme le plus beau de la Haute-Engadine et mérite une visite. On peut être surpris en découvrant, au centre, de fières maisons patriciennes si bien entretenues que l'on pourrait croire qu'elles datent du XXe siècle.

Celerina

St-Moritz et sa station thermale de luxe voisines n'éclipsent pas Celerina, tant ce village est pittoresque. C'est d'ici que le téléphérique le plus ancien du canton mène à la montagne de randonnée et de glisse Muottas Muragl. La découverte du panorama est à couper le souffle. Celerina, tout comme St-Moritz, est située sur la station de ski Corviglia/Marguns : divertissement garanti dès franchi le seuil de sa porte.

Pontresina

D'impressionnants pics et glaciers entourent la station thermale d'altitude ensoleillée de Pontresina. Le village est un point de départ idéal pour les alpinistes. Les sportifs moins expérimentés eux-mêmes peuvent y faire des randonnées guidées, et peut-être pour la première fois de leur vie, gravir un glacier (par exemple, le Morteratsch). Prendre la ligne de la Bernina pour une excursion d'une journée sur le col du même nom en direction de Tirano en Italie est un enchantement.

Sils

De célèbres peintres, écrivains et musiciens ont été inspirés par la grandiose générosite de ce paysage lacustre ainsi que sa lumière changeante. Nietzsche, Beuys et David Bowie ont contribué à donner son statut culturel à ce lieu. Univers féerique niché entre le lacs de Silvaplana et de Sils, ce lieu d'énergie situé à l'entrée de la vallée très fréquentée de Fex est un point de départ idéal pour de longues balades.

1 | Glacier-Express bei Bergün/Bravuogn – Glacier Express near Bergün/Bravuogn – Glacier-Express à Bergün (Bravuogn en romanche)

Savognin | Bergün Lenzerheide Chur | Arosa

Der Julierpass

Wir verlassen das Engadin über den Julierpass und erreichen mit Bivio das erste Dorf des Oberhalbsteins. Wer hier einen langen Aufstieg erwartet, wird überrascht sein, wie schnell die Passhöhe auf 2284 m erreicht ist. Das leuchtet ein, liegt doch der Ausgangspunkt Silvaplana auf 1800 m.

Savognin

Die eindrückliche Berglandschaft mit steilen, tiefen Schluchten, markanten Bergketten und hügeligen Alpwiesen ist bestens geeignet für aktive Ferien.

Bergün

In Tiefencastel treffen wir wieder auf die Rhätische Bahn. Ein Ausflug ins Albulatal lohnt sich: Die 122 km lange Strecke von Thusis über den Albula- und Berninapass nach Tirano gehört zum UNESCO-Welterbe. Erster Halt ist im schön gelegenen Bergün mit der 800-jährigen romanischen Kirche.

Lenzerheide

Einen besonderen Stellenwert hat der Heidsee für die Feriendestination. Dank ihm kann open air gebadet, gesurft und gefischt werden. Vielleicht genügt es ja schon, die vom Wandern müde gewordenen Beine im See baumeln zu lassen und die herrliche Bergluft einzuatmen. Die Verbindung der Skigebiete mit Arosa hat die Wintersaison noch einmal attraktiver gemacht.

Chur

Auf einer relativ steilen Strasse mit vielen Kurven erreichen wir nach kurzer Zeit Chur, Kantonshauptstadt und älteste Stadt der Schweiz. Chur ist zwar kein Feriendomizil, ein Zwischenhalt (auch mit Übernachtung möglich) ist aber empfehlenswert. Bei einer Stadtführung lernt man viele Zeugen der Vergangenheit kennen und erfährt Schreckliches aus Bürgerkriegen.

Arosa

Arosa erreicht man mit der Rhätischen Bahn oder mit dem Auto über 360 Serpentinen (enge Kurven) und durch viele Tunnels. Beim Projekt «kurvensicher» waren die Aroser sehr innovativ: Jeder hat die Möglichkeit, eine Patenschaft für eine der 360 Kurven zu erwerben.

Savognin | Bergün Lenzerheide Chur | Arosa

The Julier Pass

We leave the Engadine via the Julier Pass and arrive in Bivio, the first village of Oberhalbstein. Anybody expecting a long ascent here will be surprised at how quickly the elevation of the pass is reached at 2,284 m. Of course Silvaplana, as a starting point, is already at an elevation of 1,800 m.

Savognin

The impressive mountain landscape with steep, deep gorges, prominent mountain chains and hilly alpine meadows is best suited for active vacations.

Bergün

In Tiefencastel we again come upon the Rhaetian Railway. An excursion into Albula valley is worth it: It stretches for 122 km from Thusis across the Albula and Bernina passes to Tirano and is a UNESCO World Heritage Site. The first stop is Bergün with its 800-year-old Romanesque church.

2 | Tinizong, Savognin, Salouf 3 | Lenzerheide, Heidsee 4 | Chur – Coire 5 | Arosa, Schwellisee

Lenzerheide
Lake Heid is of special significance for this vacation destination and serves as a popular spot for open air bathing, surfing and fishing. If nothing else, give your legs a rest from all that hiking by dipping them in the lake and breathe in that splendid mountain air. The connection of the ski areas with Arosa has made the winter season even more attractive.

Chur
We reach Chur shortly and on a fairly steep road with many twists. Chur is the canton capital and oldest city in Switzerland. Though it is not a tourist destination, a stopover (possibly overnight) is recommended. A city tour can give insights into the city's past and reveal terrible things about the civil wars.

Arosa
Arosa can be reached with the Rhaetian Railway or by car over 360 serpentines (tight turns) and through many tunnels. Arosa's residents have been very innovative with the project "kurvensicher" ("save turns"): Anybody can adopt one of the 360 turns.

Savognin | Bergün Lenzerheide Coire | Arosa

Col du Julier
On quitte l'Engadine par le col du Julier pour atteindre Bivio, le premier village de l'Oberhalbstein. Ceux qui s'attendent à une longue montée, seront étonnés d'atteindre si vite le sommet du col qui se trouve à 2284 mètres d'altitude. Rien d'étonnant, quand on sait que Silvaplana, le point de départ, se trouve à 1800 mètres.

Savognin
L'impressionnant site montagneux fait de ravins abrupts et vertigineux, de massifs et d'alpages vallonnés, est idéal pour des vacances actives.

Bergün
A la jonction de Tiefencastel on retrouve la ligne de chemin de fer rhétique. Le parcours de 122 km de Thusis à Tirano via le col de l'Albula et de Bernina, est inscrit au patrimoine mondial de l'UNESCO. Premier arrêt à Bergün, superbe village engadinois dont l'église romane est vieille de 800 ans.

Lenzerheide
Le lac de Heid est une destination idéale de vacances. On peut s'y baigner, y faire de la planche à voile et y pêcher. Les randonneurs prennent grand plaisir à y plonger leurs jambes fatiguées tout en respirant l'air pur de la montagne. La connexion au domaine skiable d'Arosa a fait de l'hiver une saison encore plus attrayante.

Coire
C'est par une route relativement raide, aux nombreux lacets (cependant le trajet n'est pas bien long), que l'on atteint Coire, la capitale du canton des Grisons. C'est la plus ancienne ville de Suisse. Bien qu'elle ne soit pas une réelle destination de vacances, une escale de un ou deux jours est cependant fortement conseillée. Sur les traces des événements terribles survenus lors des guerres civiles qui ont bouleversé son histoire, la visite de la ville est passionnante.

Arosa
Arosa est accessible par le chemin de fer rhétique ou par la route via 360 serpentines (lacets étroits) et de nombreux tunnels. Avec le projet « sécurité dans les lacets », les habitants d'Arosa ont eu une idée originale : tout le monde est invité à les parrainer.

1 | Caumasee, Flims

Flims | Laax | Falera

Flims

Wer sich von Chur Richtung Oberalp- oder Lukmanierpass auf den Weg macht, muss bereits beim Bahnhof entscheiden, ob er im Talkessel oder auf der linken Talseite reisen will. Die Ziele Ilanz, Vals (umsteigen in Ilanz), Disentis, Sedrun und viele andere Dörfer im Bündner Oberland (Surselva) erreicht man am schnellsten mit der Rhätischen Bahn. Unsere Schweizer Reise führt uns aber zuerst nach Flims. Also besteigen wir eines der modernen Postautos, das uns in einer knappen halben Stunde mitten ins Wanderparadies fährt. Die beeindruckende Landschaft mit dem Hochplateau entstand nach dem berühmten Bergsturz Ende der Eiszeit, bei dem 13 m^3 Fels in die Tiefe stürzten. Diesem Unglück verdankt die Region aber nicht nur die sonnige Hochebene, sondern auch die Badeseen Cauma, Cresta und Laax wie auch die wilde Schlucht des Vorderrheins. Dass hier viele Menschen ihren Urlaub verbringen wollen, beweisen auch die zahlreichen Hotels und Pensionen. Sie sind jeder Aufgabe gewachsen: Als das Bundeshaus in Bern umgebaut wurde, tagten die Eidgenössischen Räte (246 Damen und Herren) während drei Wochen im Grand Hotel Waldhaus.

Laax

Die drei Dörfer der Weissen Arena sind bis heute alle selbständig geblieben. Während in Flims heute meist Deutsch gesprochen wird, ist in Laax und Falera Romanisch nach wie vor die Amtssprache. Das Skigebiet ist riesig und bietet Anfängern wie Könnern unzählige Möglichkeiten. Höchster Punkt ist der Vorabgletscher auf 3000 m ü. M. Pisten nur für Snowboarder haben Laax zum Mekka dieser Sportart gemacht.

Falera

Abseits der Hauptstrasse, hoch über dem Tal, liegt die kleine Gemeinde mit knapp 600 Einwohnern. Hier fühlen sich Ruhesuchende im Paradies. Die Aussicht ins Rheintal bis nach Chur, ins Lugnez und bis weit in die obere Surselva ist atemberaubend. Der Bau der Bahn von Falera nach Curnius und damit der direkte Anschluss an die Ski- und Wandergebiete der Nachbargemeinden Laax und Flims, mit denen das kleine Dorf heute touristisch gemeinsam auftritt, brachte den grossen Durchbruch.

Flims | Laax | Falera

Flims

Anybody traveling from Chur toward the Oberalp or Lukmanier Pass must already decide at the train station whether they wish to travel into the valley basin or on the left side of the valley. The destinations Ilanz, Vals (switch trains in Ilanz), Disentis, Sedrun and many other villages in the Bündner Oberland (Surselva) are reached most quickly with the Rhaetian Railway. However, our Swiss journey takes us first to Flims. So we hop on one of the many modern postal buses that take us to the heart of the winter paradise in just half an hour. The impressive landscape with its high plateau was created after the famous landslide at the end of the ice age, when 13 cubic kilometers of rock came crashing down. In addition to the sunny plateau, the disaster also gave the region the swimming lakes Cauma, Cresta and Laax, as well as the wild gorge of the Vorderrhein. A myriad of hotels and inns prove that many people wish to spend their vacation here – and the hotels are up for any task: When the federal parliament building in Bern was being renovated, the Federal Assembly (246 men and women) held their meetings in the Grand Hotel Waldhaus for three weeks.

2 | Klettergarten, Flims – Climbing garden, Flims – Site d'escalade, Flims 3 | Snowboard-Contest Laax – Snowboarding contest, Laax – Compétition de snowboard à Laax 4 | Rheinschlucht – Ruinaulta – Gorges du Rhin 5 | Falera

Laax

So far, the three villages of the Weisse Arena have all remained independent. While German is the primary spoken language in Flims, Romansh continues to be the administrative language in Laax and Falera. The ski area is large and offers countless possibilities to beginners and experienced skiers. At 3,000 m above sea level, the Vorab Glacier is the highest point. Due to slopes reserved for snowboarders only, Laax has become a mecca for this sport.

Falera

This small village with just 600 inhabitants is located on the other side of the main road, high above the valley. It is the perfect spot for lovers of peace and quiet. The view of the Rheintal all the way to Chur, into Lugnez and far into the upper Surselva is breathtaking. Breakthrough for the town: The construction of the railway from Falera to Curnius, and thus the direct connection to the ski and hiking areas of the neighboring towns of Laax and Flims, Falera's major partners in a joint marketing campaign for the region.

Flims | Laax | Falera

Flims

Celui qui part de Coire en direction d'Oberalp ou du col du Lukmanier doit décider dès l'arrivée à la gare s'il veut voyager dans la vallée ou sur son versant gauche. Le train des Chemins de fer rhétique est le moyen le plus rapide pour se rendre à Ilanz, Vals (changement à Ilanz), Disentis, Sedrun et dans de nombreux autres villages de l'Oberland grison (Surselva). La première étape est Flims. Par un des nombreux nouveaux car postaux, on atteint en moins d'une demi-heure le paradis des randonneurs. Le paysage est très impressionnant, avec son haut plateau qui s'est formé après le fameux glissement de terrain à la fin de l'ère glaciaire et au cours duquel 13 km^3 de roche sont tombés dans les profondeurs. Outre le plateau ensoleillé, cette catastrophe ravagea toute la région des lacs de Cauma, de Laax et de Cresta ainsi que les gorges sauvages du Rhin antérieur. Les nombreux hôtels pensions et chambres d'hôtes attestent du succès touristique. Les infrastructures sont à même de relever n'importe quel défi. Lors des transformations au Palais fédéral à Berne, c'est au Grand Hôtel Waldhaus que les Chambres fédérales (246 femmes et hommes) ont tenu leurs assises pendant trois semaines à l'automne.

Laax

Même si l'on parle généralement allemand à Flims, le romanche est cependant resté la langue officielle à Laax et Falera. Les trois villages de «l'arène blanche» sont de nos jours restés indépendants. Le domaine skiable est immense et offre de nombreuses possibilités tant aux débutants qu'aux connaisseurs. Le glacier du Vorab culmine à 3000 mètres. Les pistes de Laax, entièrement consacrées aux snowboarders, sont devenues un véritable lieu de pèlerinage pour les passionnés de ce sport.

Falera

La petite communauté d'à peine 600 habitants, perchée au-dessus de la vallée, se trouve non loin de la route principale. C'est le lieu idéal quand on recherche le calme. La vue sur la vallée du Rhin jusqu'à Coire, sur Lugnez et au loin sur la haute Surselva est à couper le souffle. La construction du chemin de fer qui relie Falera à Curnius, et permet d'accéder directement aux pistes de ski et de randonnées de Flims et de Laax a été l'événement majeur qui a relié ce petit village aux communautés voisines pour en faire aujourd'hui un lieu touristique.

1 | Benediktinerkloster Disentis – Benedictine Abbey Disentis – Monastère bénédictine de Disentis

Vals | Breil/Brigels Disentis

Vals

In einem Seitental des Bündner Oberlandes (Surselva) liegt das Valsertal mit dem gleichnamigen Bergdorf. Auf dem Dorfplatz sieht man noch ursprüngliche, mit echten Steinplatten gedeckte Walserhäuser. Seine wilde Umgebung und die Vielfalt auf engem Raum verdankt Vals der Kraft des Wassers. In Millionen von Jahren hat es das Gebirgstal geformt. Bedeutend für den Tourismus ist die 30 Grad warme Thermalquelle, die einzige im Kanton, die direkt aus dem Boden sprudelt. Stararchitekt Peter Zumthor baute das neue Thermalbad aus einheimischem Quarzit. Allein schon das zeitlose, elegante Gebäude zieht viele Menschen an, genau wie die intakte Land- und Alpwirtschaft.

Breil/Brigels

Von Breil/Brigels und Waltensburg gelangt man mit den Bergbahnen ins Ski- und Wandergebiet. Über 150 km markierte Wege, 75 km gepflegte Skipisten, 15 km gespurte Langlaufloipen und Schlittelwege bieten den Touristen im Sommer und Winter viel Abwechslung. Wer Ausgefallenes mag, besucht den alpinen Urwald «Scatlè», den höchstgelegenen Fichtenwald Europas, das Val Frisal mit übermütig dahinfliessenden Wasserläufen und einem Flachmoor mit seltener Fauna und Flora oder macht sich auf die mehrtägige Wanderung «Senda Sursilvana», die vom Oberalppass nach Chur führt.

Benediktinerkloster Disentis

Wer Disentis sagt, denkt zuerst an das Kloster. Dies schon wegen seiner Grösse, aber auch wegen seiner Bedeutung. Das im 8. Jh. gegründete Kloster St. Martin – eine der ältesten Benediktinerabteien in Europa – wird auch wegen der 300-jährigen barocken Stiftskirche häufig besucht. Die beiden Zwiebeltürme, die reichen Stuckaturen und die Deckengemälde sind grossartig. Heute leben und arbeiten 29 Patres und Brüder in Disentis. Über Nachwuchs brauchen sie sich keine Sorgen zu machen: Der jüngste Bruder hat Jahrgang 1978! Wer ausgelaugt oder ausgebrannt ist, der hat hier die Möglichkeit, eine Auszeit zu nehmen und den Alltag mit den Mönchen zu verbringen. Erwähnen wollen wir noch das seit vielen Hundert Jahren angegliederte Gymnasium und die interessante Ausstellung im Kapitelsaal.

Vals | Breil/Brigels Disentis

Vals

In a side valley of the Bündner Oberland (Surselva) lies the valley of Vals with its eponymous mountain village. The village square is lined with original, slab-lined Walser houses. Vals owes its wild surroundings and diversity to the power of its water, which formed the mountain valley over the course of millions of years. Crucial for tourism is the 86-degree thermal spring, the only one in the canton that emerges directly from the ground. Star architect Peter Zumthor built the new thermal bath from local quartzite. The timeless, elegant building alone attracts many people. Established farming and alpine agriculture practices.

Breil/Brigels

From Breil/Brigels and Waltensburg, one reaches the ski and hiking area with the mountain railways. In both summer and winter, tourists enjoy a variety of options with over 150 kilometers of marked paths, 75 kilometers of prepared ski slopes, 15 kilometers of cross-country ski tracks and sled slopes. For more eccentric entertainment, visit the alpine primeval forest

2 | Vals 3 | Val Blenio 4 | Val Frisal bei Breil/Brigels – Val Frisal near Breil/Brigels – Val Frisal à Breil/Brigels 5 | Sedrun

"Scatlè", the highest spruce forest in Europe, the Val Frisal with boisterously flowing waters and a moor with rare fauna or flora, or tackle the multi-day hike "Senda Sursilvana" that leads from the Oberalp Pass to Chur.

Benedictine Abbey Disentis

The abbey is one of the first things that comes to mind, mainly because of its size, but also because of its significance. The St. Martin Abbey, founded in the 8th century – one of the oldest Benedictine abbeys in Europe – is also frequented for its 300-year-old Baroque monastery church. The two onion-domed towers, the rich stucco and ceiling paintings are astonishing. Today, 29 padres and brothers live and work in Disentis. No need to recruit any successors: The youngest brother was born in 1978! Anybody feeling depleted or exhausted can take some time off and spend a regular day with the monks. Also worth mentioning are the secondary school, which has been attached to the abbey for many hundreds of years, and the interesting exhibit in the chapter house.

Vals | Breil/Brigels Disentis

Vals

La vallée de Vals et le village de montagne du même nom sont situés dans la région de l'Oberland des Grisons. Sur la place du village il y a des bâtisses typiques d'origine, aux toits d'ardoises. Son environnement sauvage et la diversité qu'il offre sur un territoire très restreint, Vals le doit aux pouvoirs de l'eau. La vallée de la montagne a mis des millions d'années à se former. La source d'eau chaude naturelle à 30°, qui est la seule du canton à jaillir directement du sol, est capitale pour le tourisme. Le grand architecte Peter Zumthor a construit les nouveaux thermes en quartzite local. L'élégance en est telle que ce bâtiment est une icône des amateurs d'architecture. Un autre attrait de la vallée de Vals est son économie intacte.

Breil/Brigels

De Breil/Brigels et Waltensburg, on peut se rendre sur les pistes de ski et de randonnées en téléphérique. Été comme hiver, plus de 150 km de sentiers balisés, 75 km de pistes de ski entretenues, 15 km de pistes de ski de fond et de luge, offrent aux touristes des activités très diversifiées. Les amateurs de nature sauvage seront enchantés par «Scatlè» la forêt d'épicéas alpine primitive la plus haute d'Europe, par le Val Frisal aux cours d'eau bouillonnants et majestueux, et par son marais à la faune et à la flore rares. La randonnée de plusieurs jours «Senda Sursilvana» au départ du col de l'Oberalp jusqu'à Coire est des plus fascinantes.

Monastère benedictine de Disentis

Quand on mentionne Disentis, on pense immédiatement au monastère et cela non seulement en raison de son envergure, mais aussi pour ce qu'il représente. Fondé au VIIIe siècle, le monastère St-Martin, l'une des plus anciennes abbayes bénédictines d'Europe, est fréquemment visitée pour sa collégiale baroque vieille de 300 ans. Les deux dômes, les stucs somptueux et plafonds peints sont extraordinaires. De nos jours, 29 prêtres et frères vivent et travaillent à Disentis. Et pour ce qui est de la relève, il n'y a aucun souci à se faire : le plus jeune des frères est né en 1978 ! Quand on a besoin de se recueillir et de se ressourcer, il est possible de passer la journée entière en compagnie des moines. Une visite s'impose au lycée affilié au monastère depuis plusieurs centaines d'années, et à l'intéressante exposition de la salle capitulaire.

1 | Bellinzona – Bellinzone

Bellinzona
Lugano | Gandria

Bellinzona

Die Italianità ist allgegenwärtig. Auf der Strasse und in den Lokalen wird kaum Deutsch gesprochen. Bellinzona konnte die Denkmäler und die Spuren seiner langen Geschichte bewahren. Sie sind lebendig im Stadtbild erhalten und man begegnet ihnen auf Schritt und Tritt. Sie sind auch in den Museen der drei Burgen über der Stadt und in der Galerie Villa dei Cedri aufgearbeitet. Die grosszügigen Plätze, die engen Winkel und kleinen Höfe in der autofreien Altstadt, die schön restaurierten Häuser und das Logen-Theater gehören zur Geschichte der Entstehung der lombardischen Kulturstadt. Die nicht zu übersehenden Wehranlagen zählen zu den bedeutendsten der mittelalterlichen Verteidigungsbauten im Alpenraum. 2000 wurden sie ins UNESCO-Weltkulturerbe aufgenommen.

Lugano

Lugano ist die grösste Stadt in der Ferienregion Tessin. Die pulsierende Wirtschaftsmetropole ist der drittwichtigste Finanzplatz der Schweiz. Obwohl Stadt von Welt, ist Lugano aber auch überschaubar geblieben und erfreut die Besucher mit kleinen und grossen Parks, mit vielen Blumen, Palmen und Strassencafés, wo man mit ein paar Ausnahmen das ganze Jahr seinen Espresso trinken kann. Die Altstadt, mehr als City wahrgenommen, mit ihren südländischen Plätzen und Arkaden lädt zum Shopping und Nichtstun ein. Ausstellungen von beachtlichem Niveau bringen Menschen aus aller Welt nach Lugano. Schwerpunkte sind Kunst und Architektur. Die Stadt in der Bucht am Nordufer des Luganersees, auch Ceresio genannt, ist umgeben von mehreren Aussichtsbergen.

Gandria

Gandria dürfte der romantischste Ort an den Gestaden des Luganersees sein. Das Zentrum ist am steilen Hang gebaut und kann nur über Treppen und Gässchen erreicht werden. Mitten in den verwinkelten Bauten steht die Kirche San Viglio mit barockem Innenraum und spätmittelalterlichem Glockenturm. Am See vor dem Dorf befindet sich das Schweizerische Zollmuseum.

Bellinzona
Lugano | Gandria

Bellinzona

The so-called Italianità is omnipresent. German is rarely spoken on the street and in bars. Bellinzona was able to protect the monuments and traces of its long history. They are vividly present in the city's appearance and visible at every turn. They have also been preserved in the museums of the three castles above the city and in the gallery Villa dei Cedri. The vast squares, narrow alleys and small courtyards in the car-free old town, the beautifully restored buildings and the Baroque theater are all part of the history of the formation of this Lombardic cultural city. The visible fortifications are among the most significant medieval defensive structures in the alpine world and have been a UNESCO World Heritage Site since 2000.

2 | Monte Boglia, Lago di Lugano 3 | Gandria 4 | Bellinzona, Castelgrande – Bellinzone, Castelgrande 5 | Lugano, Parco Ciani

Lugano

Lugano is the largest city in the vacation region of Ticino. The pulsating commercial metropolis is the third most important financial center in Switzerland. Although it is a cosmopolitan city, Lugano remains a reasonable size and satisfies visitors with small and large parks, many flowers, palm trees and street cafes where, with a few exceptions, one can sit down and drink an espresso year-round. With its southernstyle squares and arcades, the old town brings more of that city feel and is a great place to shop and relax. Impressive art and architecture exhibits attract people from all around the world to Lugano. The city is surrounded by numerous picturesque mountains and is located in a bay on the northern shore of Lake Lugano, which also goes by the name of Ceresio.

Gandria

Gandria may be the most romantic location on the shores of the lake. The center was constructed on a steep hill and can only be reached by stairs and alleyways. In the middle of the winding alleys stands the San Viglio Church with a Baroque interior and a late-medieval clock tower. The Swiss Customs Museum is located on the lake in front of the village.

Bellinzone Ceneri | Lugano Gandria

Bellinzone

L'italianité est ici omniprésente. Dans les rues et les restaurants, on parle à peine allemand. Bellinzone a su préserver les monuments et les traces de sa riche histoire. Celles-ci sont restées vivantes dans le paysage urbain, et on les rencontre à chaque pas. Elles sont également mises en valeur dans les musées des trois châteaux surplombant la ville et dans la galerie Villa dei Cedri. Les espaces généreux, les recoins confinés et les petites fermes de la Vieille Ville piétonne, les maisons magnifiquement restaurées et le théâtre des loges content l'histoire de la naissance de la cité culturelle lombarde. Les imposantes fortifications comptent parmi les plus considérables ouvrages de défense médiévaux des Alpes. Depuis l'an 2000, le site est classé au patrimoine mondial de l'UNESCO.

Lugano

Lugano est la plus grande ville touristique du Tessin. Cette métropole économique dynamique est le troisième plus grand centre financier de la Suisse. Bien qu'elle soit cosmopolite, Lugano est malgré tout restée une ville à taille humaine et elle enchante les visiteurs avec ses petits et grands parcs, ses massifs floraux, ses palmiers et ses terrasses où le climat permet de boire son espresso presque toute l'année. La Vieille Ville, perçue déjà comme une cité avec ses places et arcades méditerranéennes, invite à faire les boutiques et à flâner. Les expositions d'un niveau remarquable attirent à Lugano des gens du monde entier. Les thèmes en sont l'art et l'architecture. Logée dans une baie de la rive nord du lac de Lugano, elle est ceinturée par plusieurs sommets grandioses.

Gandria

Gandria doit probablement être la ville la plus romantique des rives du lac. Le centre est construit sur une pente raide et on y accède uniquement par des escaliers et des ruelles. L'église de San Viglio, avec son intérieur baroque et son clocher de la fin du Moyen Âge, se dresse au beau milieu de ce dédale de constructions. Le musée des douanes suisses se trouve au bord du lac, un peu avant le village.

1 | Vicomorcote, Morcote, Ceresio

Melide | Morcote Malcantone Ponte Tresa

Melide

Das Swissminiatur zeigt die Schweiz im Kleinformat. Über 130 detailgetreue Modelle von Schlössern, Denkmälern und Häusern sind in einem 14 000 m² grossen Park unter freiem Himmel zu besichtigen. Dass man an den milden Gestaden des Ceresios (Luganersee; im Tessiner Dialekt «See der Kirschbäume» genannt) auch Ferien machen kann, geht bei dieser gigantischen Fülle von realen Verkehrswegen und denjenigen im Kleinformat fast etwas unter.

Morcote

Das Wort stammt nicht aus der Feder von Hermann Hesse, dessen Museum auf der anderen Hügelseite in Montagnola steht. Die Lauben unter den Bürgerhäusern und die engen, verwinkelten Gassen machen Morcote zu einem paradisischen Ort, der kaum getoppt werden kann. Der «Weg der Sinne» und die Wallfahrtskirche Santa Maria del Sasso in Vico Morcote, die über eine Treppe mit 400 Stufen erreicht werden kann, sind eine Einkehr wert.

Malcantone

Wer den Touristenströmen ausweichen will, sollte unbedingt das Malcantone besuchen. Hier gibt es 26 Ortschaften, vom kleinen Dorf am See über Siedlungen in den weiten Hügellandschaften bis zu den Höfen der Bergbauern in höheren Lagen. Sehr zu Hause fühlt man sich im etwas behäbigen Novaggio, das eine Art Regionalzentrum ist. Der Hausberg Monte Lema ist von jedermann zu bezwingen: Man besteigt das Postauto nach Miglieglia, von wo aus die Gondelbahn auf den Gipfel führt. Die Aussicht auf das Südtessin, die Täler um Luino und den Lago Maggiore ist einmalig.

Ponte Tresa – fast schon Italien

Ob mit Auto, Schmalspurbahn, Schiff oder Velo, wer von Lugano hierher kommt, spürt Italien auf Schritt und Tritt. Für die Verbindung in unser südliches Nachbarland war der Grenzübergang vor dem Bau des Damms von Melide von grosser strategischer Bedeutung. Heute sind Grenzgänger und Touristen omnipräsent. Der italienische Markt in Ponte Tresa ist sehr empfehlenswert; er findet jeden Samstag statt.

Melide | Morcote Malcantone Ponte Tresa

Melide

Swissminiatur shows Switzerland “in miniature”. Over 130 detailed models of castles, monuments and buildings are on display in a 14,000 m² open air park. The abundance of real and miniature traffic routes can almost dillude the fact that one can also go on vacation along the mild shores of the Ceresio (Lake Lugano or, in the Ticino dialect, “Lake of Cherry Trees”).

Morcote

The word does not stem from the quill of Hermann Hesse, whose museum stands on the other hillside in Montagnola. The arbours beneath the bourgeois houses and the narrow and winding alleys above all else make Morcote to a paradisical place which can hardly be topped. The “Path of the Senses” and the pilgrimage church Santa Maria del Sasso in Vico Morcote, which can be reached via a 400-step stairway, are worth retreating to.

2 | Casa Santo Stefano 3 | Melide, Swissminiatur 4 | Malcantone, Kastanienwald – Malcantone, chestnut forest – Malcantone, Châtaigneraie
5 | Figino, Grotto

Melide | Morcote Malcantone Ponte Tresa

Malcantone

Anybody wishing to break away from the tourist crowds should by all means visit the Malcantone. It encompasses 26 localities, from small village by the sea, to settlement in the vast hilly landscapes, to the land of the mountain farmers in the more elevated areas. One feels quite at home in the somewhat sedate Novaggio, which is a sort of regional center. Conquer the local mountain Monte Lema: take the postal bus to Miglieglia, which is the starting point of the gondola lift that leads to the summit. The view of the Southern Ticino, the valleys around Luino and Lake Maggiore, is one-of-a-kind.

Ponte Tresa – almost Italy

Whether by car, narrow-gauge railroad, ship or bicycle, coming here from Lugano feels like you have arrived in Italy. The border crossing was of great strategic importance for the connection to our southern neighbour before construction of the Melide dam. Today, border commuters and tourists are omnipresent. The Italian market in Ponte Tresa is highly recommended; it takes place every Saturday.

Melide

La Suisse Miniature, comme son nom l'indique, est une représentation du pays à petite échelle. On peut y admirer plus de 130 modèles réduits et de maquettes de châteaux, monuments et maisons, dans un parc en plein air de 14 000 m². La multitude de voies de communication effectives et miniatures nous fait presque perdre de vue le fait que l'on puisse passer ses vacances ici, sur les douces rivages du Ceresio (lac de Lugano en dialecte tessinois, soit le «Lac des Cerisiers»).

Morcote

Son nom n'est pas tiré d'un roman de Hermann Hesse, dont le musée se trouve de l'autre côté de la colline, à Montagnola. Les arcades des maisons bourgeoises et le charme des ruelles sont absolument paradisiaques. La «source des sens» et l'église de pèlerinage Santa Maria del Sasso de Vico Morcote, accessible par un escalier de 400 marches, invitent au recueillement.

Malcantone

Ceux qui veulent éviter la foule des touristes devraient absolument parcourir le Malcantone, riche de 26 localités, aux petits villages des bords du lac, aux fermes des paysans de montagne en altitude, en passant par les petites bourgades des collines. On se sent comme à la maison à Novaggio, centre d'art régional, au calme impressionnant. Pour se rendre au Monte Lema, il suffit de prendre le bus postal jusqu'à Miglieglia, d'où un téléphérique conduit au sommet. Le panorama sur le Tessin méridional, les vallées de la région de Luino et le lac Majeur est incomparable.

Ponte Tresa – aux portes de l'Italie

Que ce soit en voiture, en chemin de fer à voie étroite, en bateau ou à vélo, quand on arrive de Lugano, on y sent l'Italie à chaque instant. Le poste-frontière, avant la construction du barrage de Melide, était d'une grande importance stratégique pour les relations Nord-Sud. Aujourd'hui, les frontaliers et les touristes sont omniprésents. Il est très plaisant d'aller faire un tour au marché italien qui a lieu chaque samedi matin à Ponte Tresa.

1 | Lago Maggiore, Gambarogno

San Nazzaro Gambarogno Val Verzasca

Gambarogno

Vor ein paar Jahren haben sich Caviano, Contone, Gerra, Indemini, Magadino, Piazzogna, Sant'Abbondio, San Nazzaro und Vira zur Grossgemeinde Gambarogno zusammengeschlossen. Die Riviera del Gambarogno, gegenüber Locarno und Ascona, kann mit intakten Tessinerdörfern, schöner Seepromenade, Kastanienwäldern und einem zauberhaften Kamelien- und Magnolienblust punkten. Von Vira führt die enge Strasse hinauf in die Bergdörfer des Alto Gambarogno und über den Neggia-Pass ins abgelegene Indemini nahe der italienischen Grenze. Das Dorf war früher bekannt und berüchtigt wegen des florierenden Schmuggels.

Vira

Im Campofelice treffen sich Campingfans und im Bellavista steigen Reisende ab, die ihren Urlaub am liebsten in Bungalows verbringen. Die Lage hoch oben am Berg ist einzigartig, die Aussicht atemberaubend, die Atmosphäre ungezwungen. Am Abend werden die Gäste auf sympathische Art kulinarisch verwöhnt, was wohl aus vielen Erstbesuchern Stammgäste macht.

Verzasca – Tal des grünen Wassers

Eindrücklich, ja fast etwas beängstigend wirkt die gewaltige Staumauer, nach dem Dorf Contra benannt, welche den Eingang ins Tal versperrt. Die 380 m lange und 220 m tiefe Mauer staut die Verzasca zum künstlichen See Vogorno, der bis zum vorbildlich restaurierten Dörfchen Corippo reicht. Erreichbar ist die Staumauer über eine zwei Kilometer lange Strasse von Gordola aus. Das Verzascatal ist eine in jeder Beziehung märchenhafte Landschaft. Anstelle der Kastanienbäume gibt es hier Birken- und Lärchenwälder. Verschlafene Dörfer, romantische Grotti und einsame Badeplätze laden zum Verweilen ein.

San Nazzaro Gambarogno Val Verzasca

Gambarogno

A few years ago, Caviano, Contone, Gerra, Indemini, Magadino, Piazzogna, Sant' Abbondio, San Nazzaro and Vira merged together to form the larger municipality of Gambarogno. The Riviera del Gambarogno, opposite Locarno and Ascona, boasts preserved Ticino villages, a beautiful lakeside promenade, chestnut groves and an enchanting camellia and magnolia bloom. From Vira, the narrow road leads up into the mountain villages of the Alto Gambarogno and across the Neggia Pass into secluded Indemini, near the Italian border. The village was once known and notorious for its flourishing smuggling trade.

2 | Bolle di Magadino 3 | Lago Maggiore, Fallschirmspringer – Lago Maggiore, sky diver – Lago Maggiore, Parachutistes
4 | Lago Maggiore 5 | Val Verzasca, Lavertezzo

San Nazzaro Gambarogno Val Verzasca

Vira

Camping enthusiasts meet in Campofelice, and travelers who prefer to spend their vacation in bungalows stop off in Bellavista. Its location high up on the mountain is one-of-a-kind, the view breathtaking, the atmosphere relaxed. In the evening, guests are warmly treated to some fine cuisine, which has turned many first-time visitors into regular guests.

Verzasca – valley of green water

Impressive, almost frightening: The massive dam wall, named for the village Contra, blocks access to the valley. 380 meters long and 220 meters deep, the wall dams the Verzasca to the artificial Lake Vogorno, which extends to the perfectly restored village of Corippo. The dam wall can be reached via a 2-kilometer-long road from Gordola. The Verzasca Valley is, in every regard, a fairy tale landscape. Instead of chestnut trees, there are birches and larch forests. Sleepy villages, romantic grottos and solitary bathing spots offer a perfect backdrop to linger and relax.

Gambarogno

Il y a quelques années, la commune de Gambarogno est née de sa fusion avec les localités avoisinantes de Caviano, Contone, Gerra, Indemini, Magadino, Piazzogna, Sant'Abbondio, San Nazzaro et Vira. Face à Locarno et Ascona, avec ses villages tessinois intacts, la superbe Riviera del Gambarogno, est très appréciée pour ses magnifiques promenades parmi les massifs de camélias et de magnolias et ses forêts de châtaigniers. De Vira, la route étroite mène aux villages de montagne de l'Alto Gambarogno et, par le col de Neggia, au village isolé d'Indemini proche de la frontière italienne. Il était autrefois bien connu à cause de la contrebande qui sévissait.

Vira

Les amateurs de camping se rendent à Campofelice et les vacanciers qui préfèrent les bungalows choisissent Bellavista. Ce site haut-perché est unique, son panorama grandiose, son ambiance détendue. Le soir, les pensionnaires goûtent aux délices culinaires. C'est probablement la raison pour laquelle de nombreux visiteurs venus là par hasard deviennent par la suite des habitués.

Verzasca, la vallée de l'eau emeraude

Le grand barrage, dont le nom provient du village de Contra et qui bloque l'entrée de la vallée, est impressionnant, voire un peu effrayant. Le mur, de 380 mètres de long et 220 mètres de profondeur qui retient l'eau de la Verzasca, a donné naissance au lac artificiel Vogorno qui s'étend jusqu'au village magnifiquement restauré de Corippo. On peut accéder au barrage par un chemin de deux kilomètres qui part de Gordola. Le Val Verzasca est un paysage magique à tous égards. Ici, les châtaigniers ont laissé place aux forêts de bouleaux et de mélèzes. Les villages paisibles, les grotti romantiques (bâtis rustiques) et les lieux de baignades isolées invitent à la flânerie.

1 | Ascona

Locarno | Ascona Porto Ronco Brissago

Locarno

Das Herz der Stadt ist die Piazza Grande, weltbekannt durch das alljährlich im Sommer stattfindende Filmfestival. Die Gassen, welche die Altstadt umarmen, laufen auf die Piazza zu. Die Lauben laden die Besucher zum Shopping ein. Oder man lässt in einem der zahlreichen Strassencafés die Seele baumeln. Wer sich gerne bewegt, geht ins neue Lido von Locarno, ein Eldorado für Wasserratten. Historisch und kulturell Interessierte besuchen das Castello Visconteo mit archäologischem Museum oder steigen hinauf zur Wallfahrtskirche Madonna del Sasso.

Ascona

Das schöne Fleckchen Erde mit seiner einmaligen Sicht weit hinunter nach Italien wird meist mit der mondänen, exklusiven Gesellschaft in Verbindung gebracht. Boutiquen und Galerien gibt es zwar wie Sand am Meer. Und doch hat der Ort das Charakteristische eines Fischerdorfes bewahren können. Ascona hat auch Platz für Revolutionäre, Romantiker und Ausgebrannte. Davon erzählt uns die Geschichte vom Monte Verità, wo Ende 19. Jh. Akademiker die alternative Form des Lebens suchten und realisierten.

Brissago und Brissago-Inseln

Die kleine Ortschaft direkt an der italienischen Grenze kontrastiert stark mit Ascona. Obwohl die landschaftlichen und klimatischen Voraussetzungen gleich sind, fühlt man sich in einer anderen Welt. Wer Ruhe sucht und von den malerischen Winkeln in den terrassierten Dorfteilen angetan ist, wird sich hier wohl fühlen.

Weltbekannt sind die Brissago-Inseln. Von 1885 bis 1928 legte die russische Baronin Antoinette Saint-Léger hier einen als Paradies gedachten botanischen Garten an. Der Warenhauskönig Max Emden kaufte die Inseln und führte das Werk weiter. Heute steht alles unter der Obhut des Kantons Tessin, der die Anlage verwaltet und ein Restaurant führt.

Locarno | Ascona Porto Ronco Brissago

Locarno

The heart of the city is the Piazza Grande, world-renowned for its annual summer film festival. The alleys that encircle the old town lead to the piazza. Shopping opportunities await visitors underneath the arcades. Instead, one may choose to just relax in one of the many street side cafes. Those who prefer to keep active head for the new lido of Locarno, an El Dorado for water lovers. If your interests are of a more historical or cultural nature, visit the Castello Visconteo with its archaeological museum, or walk up to the pilgrimage church of Madonna del Sasso.

Ascona

This beautiful corner of the world offers a unique view across the Swiss border far down into Italy and has a sophisticated, exclusive feel. Indeed, there are countless boutiques and galleries. And yet the town has been able to maintain its character as a fishing village. Ascona also has room for revolutionaries, romantics and burnouts, as witnessed by the history of the Monte

2 | Locarno, Madonna del Sasso 3 | Filmfestival Locarno, Piazza Grande – Locarno Film Festival, Piazza Grande – Festival du film de Locarno, Piazza Grande 4 | Isola di Brissago – Brissago Island 5 | Brissago, Lago Maggiore

Verità. At the end of the 19th century, the mountain was a popular destination for academics looking for an alternative lifestyle.

Brissago and Brissago Islands

The small municipality directly on the Italian border contrasts strongly with Ascona. Although the agricultural and climate conditions are almost identical, it feels like a completely different world. If you are looking for some solitude and are attracted by the picturesque angles in the terraced parts of the village, you will feel right at home here. The Brissago Islands are world famous. From 1885 to 1928, the Russian Baroness Antoinette Saint-Léger created a paradisiacal, botanical garden here. The department store king Max Emden purchased the islands and continued the project. Today, the canton of Ticino administers everything on the island, including the garden facility and a restaurant.

Locarno | Ascona Porto Ronco Brissago

Locarno

Le cœur de la ville, c'est la Piazza Grande, connue dans le monde entier grâce au Festival du film qui s'y déroule chaque année en été. Les rues qui entourent la Vieille Ville mènent à la Piazza. Les arcades invitent les visiteurs à faire les boutiques. Il fait bon laisser son esprit vagabonder, assis à la terrasse d'un des nombreux cafés. Quand on aime bien le plaisir de l'effort, on se rend au nouveau Lido de Locarno, un paradis pour les amateurs de sports nautiques. Ceux que l'histoire et la culture intéressent visitent le château Visconti et son musée archéologique, ou font un pèlerinage à l'église de la Madonna del Sasso.

Ascona

Ce lieu enchanteur dont le panorama grandiose s'étend jusqu'en Italie est généralement le lieu de rencontre d'une société nantie et mondaine. Ce ne sont pas les boutiques, ni les galeries d'art qui manquent. Et pourtant, la petite ville a conservé le cachet d'un village de pêcheurs, rendez-vous des romantiques et havre des convalescents. Ascona a également été un refuge pour les révolutionnaires (l'histoire du Monte Verità nous rapporte comment à la fin XIXe siècle, des universitaires ont pensé et mis en œuvre un mode de vie différent).

Brissago et ses îles

Ce petit village situé à la frontière italienne, offre un grand contraste avec Ascona. Bien que le climat et les paysages y soient à peu près les mêmes, on a l'impression d'être dans un autre monde. Ceux qui recherchent un endroit paisible seront comblés: ils tomberont sous le charme des recoins pittoresques de la partie du village en terrasses. De 1885 à 1928, la baronne russe Antoinette St-Léger y aménagea un jardin botanique paradisiaque. Max Emden, propriétaire du grand magasin royal, acheta les îles et y poursuivit les travaux. Aujourd'hui, tout est sous la garde du canton du Tessin, qui administre les installations et dirige un restaurant.

1 | Val Bavona – Bavona Valley

Centovalli | Valle Maggia | Leventina

Centovalli-Bahn

Sie ist die Pulsader des Tals und verbindet die Gotthard- mit der Simplonstrecke, das heisst auf kürzestem Weg das Tessin mit dem Wallis. Es geht vorbei an Schluchten und Wasserfällen, über schwindelerregende Brücken, durch ausgedehnte Kastanienwälder und Rebberge, durch Tunnel und Kurven mit engsten Radien führt die rund 60 km lange Strecke von Locarno nach Domodossola im Val d'Ossola. Der Zug der FART (Ferrovie Autolinee Regionali Ticinesi) benötigt knapp zwei Stunden.

Pedemonte

In den ersten zwei Tälern unserer heutigen Etappe gibt es keine andere Möglichkeit, wir müssen auf dem gleichen Weg zurückfahren. Nur gute Wanderer könnten hier den Vorsatz des Buches erfüllen. Wir nehmen für die Rückfahrt den gleichen Weg wie die Bahn und entdecken im Pedemonte die sonnigen, gepflegten Dörfer Cavigliano, Verscio (berühmt durch das Teatro Dimitri), Tegna und Ponte Brolla (gehört zur politischen Gemeinde Tegna und bildet den Eingang ins Maggiatal).

Valle Maggia

Zwischen Ponte Brolla und Avegno finden wir die bekannteste, romantischste Badewanne der Schweiz. Mutige stürzen sich ins schäumende Wasser der Maggia mit ihrem von der Natur gebauten felsigen Wasserbett. Das Maggiatal ist in Sachen Ausdehnung und Vielfalt der Landschaft aussergewöhnlich. Man geht auf Wegen, die in den Fels gehauen sind, erreicht viele Maiensässe und kann in die Täler Verzasca und Leventina gelangen. Beliebte Ausflugsziele sind die Kirche Madonna delle Grazie in Maggia, das Talmuseum in Cevio, das Walserdorf Bosco Gurin mit seiner eigenen Sprache, das Bavonatal, Fusio und der Wasserfall von Foroglio.

Leventina

Die Leventina wird von den Touristen, die auf Schiene, Kantonsstrasse und Autobahn A2 unterwegs sind, meist nur als Transitkorridor wahrgenommen. In den Schluchten des Talkessels kann man die Schönheiten der Dörfer und Landschaften auch nicht sehen. Besonders gut erhalten sind Giornico und Airolo mit Steinhäusern und gepflasterten Strassen. Sehr beliebt bei Wanderern ist die Strada Alta, die hoch über dem Tal vorbei an schönen Bergdörfern nach Biasca führt.

Centovalli | Valle Maggia | Leventina

Centovalli railway

It is the artery of the valley and connects the Gotthard and Simplon lines as well as Ticino and Valais via the shortest possible route. On the approximately 60 kilometers from Locarno to Domodossola in the Ossola Valley, the railway leads across gorges and waterfalls, over dizzyingly high bridges, through vast chestnut forests and vineyards, through tunnels and hairpin bends. Traveling by train with the FART (Ferrovie Autolinee Regionali Ticinesi) takes just about two hours.

Pedemonte

The first two valleys of today's route require us to go back the way we came. Only skilled hikers would be able to fulfill the intention of this book. For our return, we take the same route as the train and discover the sunny, neat villages of Cavigliano, Verscio (famous for the Teatro Dimitri), Tegna and Ponte Brolla (belongs to the political district of Tegna and forms the entrance to the Maggia Valley).

2 | Bordei, Centovalli 3 | Intragna 4 | «Ponte di San Rocco», Bignasco, Valle Maggia 5 | Airolo

Centovalli | Valle Maggia | Leventine

Maggia Valley

Between Ponte Brolla and Avegno, we find the most famous and romantic bathing spot in Switzerland. Those feeling brave may jump into the foaming water of the Maggia with its naturally formed, rocky bottom. The Maggia Valley is extraordinary in terms of its vastness and the diversity of its landscape. The area can be explored on paths that have been carved into the rock to reach low mountain pastures and the valleys of Verzasca and Leventina. Popular destinations include the Church of Madonna delle Grazie in Maggia, the Maggia Valley Museum in Cevio, the Walser village of Bosco Gurin with its own dialect, the Bavona Valley, Fusio, and the waterfall of Foroglio.

Leventina

The Leventina is usually only considered a transit corridor by tourists traveling by rail, on the cantonal road and on the A2 highway. Neither can the beauty of the villages and landscapes be seen from the gorges of the valley basin. Giornico and Airolo, with their stone buildings and cobbled streets, are particularly well-preserved. High above the valley is the Strada Alta, which leads past beautiful mountain villages toward Biasca and is especially popular with hikers.

Chemin de fer des Centovalli

C'est la liaison principale de la vallée, entre le tronçon du Gothard et celui du Simplon, c'est-à-dire du Tessin au Valais par le chemin le plus court. L'itinéraire de presque 60 km va de Locarno à Domodossola dans le Val d'Ossola, passe par des gorges et des cascades, sur des ponts vertigineux, à travers des vignobles et de vastes forêts de châtaigniers, et par des tunnels et des lacets très serrés. Pour ce parcours, le train de la FART (Ferrovie Autolinee Regionali Tessinois) met environ deux heures.

Pedemonte

Dans les deux premières vallées de l'étape aujourd'hui, il n'y a pas d'autre possibilité que de revenir par la même route. Seuls les randonneurs expérimentés pourraient ici accomplir la garde. Nous suivons pour le retour le tracé du chemin de fer et nous découvrons à Pedemonte les villages de Cavigliano, Verscio, Tegna et Ponte Brolla.

Valle Maggia

Située entre Ponte Brolla et Avegno, on découvre le «bassin» le plus connu et le plus romantique Suisse. Les courageux plongent dans les eaux écumantes de la Maggia dont le lit rocheux a été creusé par elle. L'étendue du Vallée Maggia et la diversité de ses paysages sont exceptionnels. On emprunte des chemins taillés dans la roche, on franchit de nombreux pâturages, atteignant ainsi les vallées Verzasca et Léventine. L'église Madonna delle Grazie de Maggia, le musée de Cevio, le village Walser de Bosco Gurin avec sa propre langue, le Val Bavona, Fusio et la cascade de Foroglio sont des destinations populaires.

Leventine

La Léventine est souvent perçue comme un couloir de transit par ceux qui voyagent par le rail, les routes cantonales ou l'autoroute A2. Il faut dire que du fond des gorges de cette vallée, on ne peut guère admirer la beauté des villages et des paysages. Les maisons en pierre et les rues pavées de Giornico et Airolo sont particulièrement bien conservés. La Strada Alta, qui sur les hauteurs de la vallée conduit à Biasca le long de beaux villages de montagnes, est très populaire chez les randonneurs.

1 | Grosser Aletschgletscher (mit Gabelhorn, Schönbühlhorn und Wannenhorn) – Large Aletsch Glacier (with Gabelhorn, Schönbühlhorn and Wannenhorn) - Le grand glacier d'Aletsch (avec Gabelhorn, Schönbühlhorn et Wannenhorn) 2 | Lax, Goms – Lax, Conches 3 | Dampfbahn Furka-Bergstrecke –

Andermatt Furkapass | Goms

Andermatt

Das hoch gelegene Bergdorf ist eine Sommer- und Winter-Feriendestination, dominierende Farbe war allerdings bis in die jüngste Zeit «Grün». Zehntausende von Männern haben hier Militärdienst geleistet. Und dann kam Sawiris, ein ägyptischer Investor, mit einem Tourismusprojekt, das den um Gäste kämpfenden Ort von einem Tag auf den anderen zum Märchendorf machte. Das Gebiet rund um Andermatt ist das Wasserschloss Europas. Am Gotthard entspringen die grossen Flüsse Rhein, Rhone, Reuss und Ticino.

Furkapass

Grimsel, Susten und Furka sind als Drei-Pässe-Fahrt beliebt. Schöner kann man die Symbiose von Natur und Technik kaum erleben. Im Sommer ist die Fahrt mit der nostalgischen Furka-Dampfbahn von Realp nach Oberwald ein tolles Erlebnis.

Goms

Das sonnige Oberwalliser Hochtal Goms ist im Winter ein Langlaufeldorado und im Sommer eine beliebte Ferienregion für Ruhesuchende. Das von mächtigen Dreitausendern eingerahmte Tal der Rhone (hier noch Rotte genannt) erstreckt sich über 50 Kilometer von Oberwald bis nach Lax. Kulturinteressierte finden in den stillen Gommer Dörfern rund 70 barocke Kirchen und Kapellen, die ausnahmslos in Weiss gehalten sind.

Jungfrau-Aletsch – UNESCO-Weltnaturerbe

Die Anfahrt mit Auto und Kabinenbahnen ist über Mörel oder die Talstation Betten/Bettmeralp. Wer den Aletschgletscher und den ihn umgebenden Arvenwald (auf 2200 m!) möglichst nah erleben will, wählt den Moränenweg durch den Naturpark, der von der Riederalp, vorbei am Märjelensee, zur Fiescheralp führt. Mit einer Länge von 23 km ist der Aletschgletscher der längste Eisstrom der Alpen. Bettmer-, Rieder- sowie Fiescheralp bilden das Skigebiet Aletsch Arena. Auch als Sommerdestination sind die drei Orte attraktiv. Die familienfreundlichen, durchwegs autofreien Ferienorte liegen auf einem sonnigen Hochplateau.

Andermatt Furka Pass | Goms

Andermatt

Although the elevated mountain village is a destination for summer and winter vacations, until recently its dominant color was "army green". Tens of thousands of men have carried out their military service here. Then the town saw the arrival of Sawiris, an Egyptian investor, whose tourism project turned a town struggling for visitors into a fairy tale village from one day to the next. The area around Andermatt is the water castle of Europe. The large rivers Rhine, Rhone, Reuss and Ticino all have their source at the Gotthard.

Furka Pass

Grimsel, Susten and Furka are a popular three-pass journey and offer an incomparably beautiful symbiosis of nature and technology. In the summer, the journey aboard the nostalgic Furka steam train from Realp to Oberwald is a wonderful experience.

Steam train Furka-Bergstrecke – Train à vapeur de la Furka, ligne de montagne 4 | Andermatt, Urserntal – Andermatt, Ursen Valley – Andermatt, vallée de Orsera 5 | Alte Passstrasse, Tremola (Gotthardpass) – Old pass road, Tremola (Gotthard Pass) – Ancienne route du col, Tremola (col du Gothard)

Goms

The sunny high mountain valley Goms in the Upper Valais is a cross-country skiing paradise in winter, and a beloved vacation destination for visitors seeking tranquility during the summer. Framed by impressive three-thousand-meter peaks, the valley of the Rhone (here still called Rotte) stretches over 50 kilometers from Oberwald to Lax. 70 Baroque, all-white churches and chapels in the tranquil villages of Goms offer plenty of entertainment to culture enthusiasts.

Jungfrau-Aletsch – UNESCO World Natural Heritage Site

The journey by car and gondola lift passes through Mörel or the valley stations Betten/Bettmeralp. For a close-up experience of the Aletsch Glacier and the surrounding Swiss pine forest (at 2,200m!), take the "Moränenweg" (moraine trail) through the nature park, leading from Riederalp along Lake Märjelen to Fiescheralp. With a length of 23 kilometers, the Aletsch Glacier is the longest ice formation in the Alps. Bettmeralp, Riederalp and Fiescheralp form the Aletsch ski area. But the three areas are also attractive as summer destinations, offering a family-friendly, entirely car-free vacation atop a sunny plateau.

Andermatt
Col de la Furka
Conches

Andermatt

Le village, perché très haut dans la montagne, est certes à présent une destination de vacances d'été et d'hiver, mais sa couleur dominante fut jusqu'à très récemment le «gris-vert». Des dizaines de milliers d'hommes y faisaient leur service militaire. Et puis vint Sawiris, un investisseur égyptien, avec un projet de tourisme qui est en train de transformer le lieu en un village féérique pour touristes. La région située tout autour d'Andermatt est le château d'eau de l'Europe. Les grands fleuves du Rhin, du Rhône, de la Reuss et du Tessin prennent leur source au Gothard.

Col de la Furka

Franchir les trois cols, Grimsel, Furka et Susten est populaire. Il est rare de voir une telle symbiose entre nature et technique. Faire en été le trajet de Realp à Oberwald avec le train à vapeur nostalgique de la Furka est une expérience mémorable.

Conches

La vallée de Conches ensoleillée du Haut-Valais est en hiver un paradis pour les skieurs de fond et en été un lieu de vacances apprécié par ceux qui recherche la tranquillité. La vallée du Rhône (dans la région aussi appelée Rotte), bordée de sommets imposants, s'étend sur 50km d'Oberwald à Lax. Les amateurs de culture trouveront dans les villages paisibles de Conches environ 70 églises et chapelles baroques qui toutes, sans exception, sont blanches.

Jungfrau-Aletsch – patrimoine mondial de l'UNESCO

Le départ se fait en voiture et télécabines par Mörel ou Betten/Bettmeralp. Pour approcher le glacier d'Aletsch et sa forêt de pins environnante (à 2200 mètres!), on emprunte le sentier des moraines qui traverse le parc naturel depuis Riederalp, passe au Märjelensee et mène à Fiescheralp. Avec ses 23km, le glacier d'Aletsch est le plus long des Alpes. Bettmeralp, Riederalp et Fiescheralp forment le domaine skiable d'Aletsch. Ces trois stations ont aussi beaucoup de succès en l'été. Toutes piétonnes, situées sur un haut plateau ensoleillé, elles sont très appréciées des familles.

1 | Kulmhotel, Gornergrat, Matterhorn im Hintergrund – Kulm Hotel, Gornergrat, Matterhorn in the background – Kulmhotel, Gornergrat, le Cervin en arrière-plan

Das Oberwallis

Die Viertausender

Die bekannten und weniger bekannten Ferienorte im zweisprachigen Wallis befinden sich oben in den Bergen, links und rechts des Rhonetals, meist zuhinterst in den Seitentälern oder auf einer Sonnenterrasse. Die Walliser haben eine lange Gastgeber-Tradition und viele landschaftliche Trümpfe: 47 Viertausender stehen im Herzen der Alpen. Seit dem Bau des Lötschberg-Basistunnels ist die «Üsserschwiiz», wie die Walliser den Rest der Schweiz nennen, viel näher gerückt. Das Wallis ist wie kaum eine andere Ferienregion im Land mit einem dichten Postautonetz erschlossen. Jedes noch so kleine Dorf wird bedient. Die Ausnahme bilden das Mattertal und das Goms, die man ab Visp und Brig mit der Bahn erreicht.

Brig

Die Altstadt mit schönen Patrizierhäusern, heimeligen Beizen und Shoppingmeilen lädt zum Verweilen ein. Wohl am meisten fotografiert und besucht wird der Stockalperpalast, eines der bedeutendsten barocken Bauwerke der Schweiz. Das Brigerbad, ein grosses Freiluft-Thermalbad, ist für Familien besonders attraktiv. Der Panoramaweg auf der Lötschberg-Südrampe ist für Wanderer ein Erlebnis. Der Höhenweg beginnt beim Bahnhof Hohtenn und führt der Bahnlinie entlang bis nach Lalden. Ganz besonders beeindrucken die Kunstbauten der Lötschbergbahn aus der Froschperspektive.

Zermatt

Mehr als 80 Hotels und zahlreiche Ferienwohnungen buhlen um die Gunst der Gäste. Der autofreie Ferienort, dessen touristische Entwicklung eng mit dem berühmten Berg verknüpft ist, ist im Winter meist ausgebucht. Das Wander- und Skigebiet wird durch 63 Bergbahnen erschlossen. Mit der höchstgelegenen Bergbahn Europas erreicht man den auf fast 4000 Metern liegenden Aussichtspunkt «Matterhorn glacier paradise».

Saastal

Bis ins 14. Jahrhundert gab es nur eine Gemeinde: Saas. Von den vier daraus hervorgegangenen Orten ist Saas-Fee am bekanntesten. Touristiker bezeichnen die Station als «Perle der Alpen». Saas-Grund, Saas-Almagell sowie Saas-Balen heissen die anderen «Viertelsgemeinden». Man kann 350 km Themen- und Wanderwege entdecken. Oder den Rundwanderweg «Die 18 Viertausender des Saastals».

Upper Valais

The four-thousander-meter peaks

Both the well-known and lesser-known vacation spots in bilingual Valais are located up in the mountains, to the left and right of the Rhone Valley, mostly in the far back of the side valleys or on a sunny terrace. The inhabitants of the Valais have a long tradition of hospitality and many agricultural highlights: 47 four-thousand-meter peaks are at the heart of the Alps. Since the construction of the Lötschberg Base Tunnel, the “Üsserschwiiz”, as the people of Valais call the rest of Switzerland, is now much closer. Unlike any other vacation spot in the country, the Valais has a unique network of postal buses. Notable exceptions at the Matter Valley and Goms, which can be reached from Visp and Brig by rail.

Brig

Spend some quality time at the old town with its beautiful patrician houses, cozy pubs and shopping malls. Easily the most photographed and visited place in town is the Stockalper Palace, one of the most crucial Baroque buildings in Switzerland. The Brigerbad, a large open-air thermal spa, is especially attractive for families. Hikers should experience the panoramic path on

2 | Brig, Stockalperpalast – Brig, Stockalper Palace – Brig, Palais Stockalper 3 | Grächen
4 | Gornergrat-Zahnradbahn, Jermalt – Gornergrat cog railway, Jermalt – Chemin de fer à crémaillère de Gornergrat, Jermalt 5 | Saas-Fee

the "Lötschberg-Südrampe". The high path begins at the Hohtenn train station and leads along the railway line to Lalden. The engineering structures of the Lötschberg railway are especially impressive from a low-angle shot.

Zermatt

More than 80 hotels and countless vacation homes compete to win visitors' favors. Developed as a tourist destination because of its proximity to one of the most famous mountains in the world, this car-free vacation spot is mostly booked out in the winter. The hiking and ski area is accessible via 63 mountain railways. The highest mountain railway in Europe brings visitors to the "Matterhorn glacier paradise", an outlook point at roughly 4,000 meters.

Saas Valley

Until the 14th century, there was only one municipality: Saas. Of the four resulting villages, Saas-Fee is the most well-known. Tourism experts refer to the station as the "Pearl of the Alps". Saas-Grund, Saas-Almagell and Saas-Balen are the names of the other "quarter municipalities". Explore 350 kilometers of thematic and hiking paths or hike the circular theme trail "18 four-thousand meter peaks of the Saas Valley".

Le Haut-Valais

Le pays des « Quatre-mille »

Les stations connues et moins connues du canton bilingue du Valais sont perchées dans les montagnes, à gauche et à droite de la vallée du Rhône, généralement tout au fond des vallées latérales ou sur une terrasse ensoleillée. Les Valaisans ont une longue tradition hospitalière dans leurs paysages aux atouts nombreux: 47 « Quatre-mille » se dressent en plein cœur des Alpes. Depuis la construction du tunnel de base du Lötschberg, « l'Üsserschwiiz», comme les Valaisans appellent le reste de la Suisse, s'est fortement rapproché. Le Valais est desservi par un réseau dense de cars postaux comme aucune autre région de vacances dans le pays. Les villages, aussi petits soient-ils, sont tous desservis.

Brigue

La Vieille Ville avec ses belles maisons patriciennes, ses tavernes accueillantes et ses rues commerçantes invite à la flânerie. Le palais Stockalper, l'un des édifices baroques suisses les plus importants, est probablement le monument le plus photographié et le plus visité. Le Brigerbad, un grand therme de plein air, attire surtout les familles. Le sentier panoramique d'altitude, sur la rampe sud du Lötschberg est très prisé des randonneurs. Il part de la gare de Hohtenn et longe la ligne de chemin de fer jusqu'à Lalden. Les ouvrages d'art du Chemin de fer du Lötschberg observés d'en bas, en contre-plongée, sont vraiment impressionnants.

Zermatt

Plus de 80 hôtels et de nombreux appartements se disputent la clientèle. La station piétonnière, dont le développement touristique est étroitement lié à la plus célèbre montagne du monde, affiche généralement complet pendant l'hiver. La région de randonnée et de ski est accessible par 63 remontées mécaniques. Avec le téléphérique le plus haut d'Europe, on atteint le point de vue « Matterhorn glacier paradise » situé à près de 4000 mètres d'altitude.

Vallée de la Saas

Jusqu'au XIVe siècle, la vallée de Saas ne comptait qu'une seule commune: Saas, la plus connue des quatre localités réunies sous le nom de Saas-Fee: Saas-Grund, Saas-Almagell, Saas-Balen. S'offrent aux excursions 350 km de sentiers de randonnée ou à thèmes, ou encore un chemin de randonnée circulaire « les 18 Quatre-mille de la vallée de Saas ».

1 | Leukerbad – Loèche-les-Bains

Lötschental
Leukerbad
Crans-Montana
Sion

Lötschental

Das Lötschental wird von Reisegruppen meist rechts liegen gelassen. Weil das weitgehend unverbaute Tal mit seinen intakten Dörfern Ferden, Kippel, Wiler und Blatten einiges zu bieten hat, machen wir einen Abstecher in das Tal der Lonza, etwas abseits der grossen Tourismuszentren. Eine beeindruckende Berglandschaft ist besonders der hintere Teil des Tals rund um die Fafleralp. Das Skigebiet Lauchernalp oberhalb Wiler bietet Wintersportlern alles, was sie zum Skispass benötigen.

Leukerbad

Schon die Römer kannten die heilende Wirkung des heissen Thermalwassers, das hier mit unglaublichen 51 Grad aus den Quellen strömt. Die Quellen waren der Motor für die touristische Entwicklung zum grössten Thermalbadeort und Wellnesszentrum der Schweiz.

Crans-Montana

Die aus Crans, Montana und weiteren fünf Gemeinden bestehende Feriendestination erreicht man individuell oder mit Postauto ab Sion oder Sierre über kurvenreiche Strassen. In Sierre gibt es eine Standseilbahn. Zwischen den Hangsiedlungen verlaufen zahlreiche Wander- und Spazierwege und spezielle Routen für Fahrradfahrer.

Sion/Sitten

Die grösste Stadt des Kantons Wallis hat sich in den letzten hundert Jahren stark entwickelt. Vom Marktflecken mit 5000 Einwohnern um 1900 zu einer mittelgrossen Stadt mit 30 000 Einwohnern. Das mittelalterliche Stadtbild wird geprägt von den Felsen «Valère» mit der Wallfahrtskirche Notre-Dame de Valère und «Tourbillon» mit der Ruine des bischöflichen Schlosses. In der Altstadt befindet sich die Kathedrale Notre-Dame du Glarier. In Sion dreht sich viel um den Wein. Hier sind die grossen Winzergesellschaften. In der Gemeinde befindet sich die drittgrösste Weinbaufläche der Schweiz. Weil das Klima sehr trocken ist, mussten für die Bewässerung der Rebberge Kanäle in die Bergflanken gehauen werden. Die «Suonen» kommen in Filmen und Romanen häufig vor.

Lötschental
Leukerbad
Crans-Montana
Sion

Lötschen Valley

The Lötschen Valley (Lötschental) is often ignored by travel groups. Because the largely unspoiled valley has several things to offer with its preserved villages of Ferden, Kippel, Wiler and Blatten, we make an excursion into the valley of Lonza, somewhat off to the side of the large tourism centers. The posterior part of the valley around the Fafleralp is a particularly impressive mountain landscape. The ski area Lauchernalp above Wiler offers winter athletes everything they need for their skiing enjoyment.

Leukerbad

The Romans already acknowledged the healing properties of the hot thermal water that rises up from the springs at an unbelievable 124 degrees. The springs were the driving force behind the touristic development that has turned Leukerbad into the largest thermal spa town and wellness center in Switzerland.

2 | Crans-Montana 3 | Pfynwald, Rhonetal 4 | Ried, Lötschental 5 | Sion

Crans-Montana

Consisting of Crans, Montana and another five municipalities, this vacation destination can be reached independently or with the postal bus from Sion or Sierre over winding roads. There is also a funicular in Sierre. Numerous hiking and walking paths and special routes for cyclists run between the hillside settlements.

Sion/Sitten

The largest city in the canton of Valais has grown enormously over the past century. More specifically, it has grown from a town of 5,000 inhabitants in 1900 to a mid-sized city with 30,000 residents. The medieval look of the city is shaped by the cliff "Valère", with the pilgrimage church Notre-Dame de Valère, and "Tourbillon" with the ruins of the episcopal castle. The cathedral Notre-Dame du Glarier is located in the old town. In Sion, a lot of things revolve around wine. The large vintner companies are located here, as well as the third-largest vineyard in Switzerland. Because the climate is very dry, canals had to be carved into the hillsides of the vineyards for irrigation. The "Suonen" often appear in films and novels.

Le Lötschental
Loèche-les-Bains
Crans-Montana
Sion

Lötschental

Le Lötschental n'est pas très fréquenté par les groupes de touristes. Pourtant, la vallée, dont la majeure partie est exempte de constructions récentes, est attrayante avec les villages préservés de Ferden, Kippel, Wiler et Blatten. Une incursion dans la vallée de la Lonza, un peu à l'écart des grands centres touristiques est pleine de surprises. L'arrière-plan montagneux de la vallée de Fafleralp est particulièrement impressionnant. Le domaine skiable Lauchernalp au-dessus de Wiler offre aux amateurs de sports d'hiver tout ce dont ils ont besoin pour leur passion.

Loèche-les-Bains

Les Romains connaissaient déjà les propriétés curatives de l'eau thermale qui jaillit ici des sources à une température incroyable de 51°. Les sources ont été le départ du développement touristique qui a transformé Loèche-les-Bains en une des plus grandes stations thermales et centres de bien-être de Suisse.

Crans-Montana

C'est de Sion ou de Sierre, par des routes sinueuses, que l'on accède à cette station touristique née de l'union de Crans, Montana et de cinq autres communes. À Sierre, on peut aussi prendre un funiculaire. De nombreux chemins de randonnées, sentiers pédestres et itinéraires spéciaux pour les cyclistes traversent les villages perchés à flanc de colline.

Sion

Dans les cent dernières années, Sion, la plus grande ville du canton du Valais, s'est énormément développée. De ville de marché de 5000 habitants en 1900, elle a évolué en une cité de taille moyenne de 30 000 habitants. Le paysage urbain médiéval est marqué par les falaises de Valère et par sa basilique de pèlerinage Notre-Dame, ainsi que par les ruines du château épiscopal de Tourbillon. La cathédrale de Notre-Dame du Glarier est située dans la Vieille Ville. Le commerce du vin a une place centrale. Sion est le troisième plus grand domaine viticole de Suisse. En raison du climat très sec, pour irriguer les vignobles, il a fallu creuser et construire des canaux, les «bisses» à flancs de montagnes. Ces ouvrages typiques apparaissent fréquemment dans les films et les romans.

1 | SAC-Hütte «Mont Fort», Verbier – SAC hut "Mont Fort", Verbier – Cabane du CAS «Mont Fort», Verbier

Martigny | Verbier Champéry

Martigny

Die stolze Hauptstadt des gleichnamigen Bezirks am markanten Knie der Rhone steht mitten im Früchte- und Gemüseparadies. Unter der warmen Walliser Sonne wachsen Erdbeeren, Trauben, Aprikosen, Spargel ... Von den Gaben der Natur aus der Region, die in Gaststätten zu köstlichen Speisen verarbeitet werden, liessen sich schon Berühmtheiten wie Rousseau, Goethe, Stendahl und Liszt begeistern. Martigny ist mehr als 2000 Jahre alt. Ihre Spuren haben auch schon keltische Stämme, die Römer und Truppen Napoleons hinterlassen. Das hängt sicher mit der geografischen Lage von Martigny zusammen. Hier an der Bahnlinie Genf–Mailand beginnen weitere Bahnerlebnisse: Mit dem «Mont-Blanc-Express» kommt man über eine kühn angelegte Schmalspurbahn in den französischen Ferienort Chamonix. Der «Sankt-Bernhard-Express» fährt nach Orsières und Châble. In Orsières übernimmt das Postauto die Passagiere, um sie auf das Hospiz des Grossen St. Bernhard zu bringen.

Verbier

Der Ferienort mit mehr als 25000 Betten hat sich ganz den aktiven Menschen verschrieben. Träumer und Nostalgiker sind hier wohl falsch. Aus dem einst kleinen Dorf ist eine Chaletstadt gewachsen, die mit den unzähligen Sportmöglichkeiten und einer perfekt ausgebauten Logistik prädestiniert ist, grosse internationale Anlässe durchzuführen. Was Verbier auch intensiv macht. Die Station zieht sportbegeisterte Gäste aus aller Welt an. Mehr als 400 km Wanderwege respektive Skipisten und 200 km Mountainbike-Pisten halten die Urlauber auf Trab.

Champéry

Wir reisen mit der Bahn von Ollons aus in eine der ältesten Feriendestinationen der Schweiz. Der in das riesige Skigebiet «Les Portes du Soleil» eingebettete Ort konnte seinen historischen Charme teils in die Neuzeit retten. Die Dimensionen des Ski- und Wanderwegnetzes sind so gross, dass die Zahlen Angst machen könnten.

Martigny | Verbier Champéry

Martigny

The proud capital of the eponymous district at the prominent knee of the Rhone sits in the middle of a fruit and vegetable paradise. Strawberries, grapes, apricots, asparagus, and more grow under the warm Valais sun. Celebrities such as Rousseau, Goethe, Stendahl and Liszt were inspired by the region's natural bounties turned into decadent meals in the local inns. Martigny is over 2,000 years old and bears traces of Celtic tribes, Roman inhabitants and Napoleon's troops. This is certainly due to Martigny's geographical location. On the Geneva–Milan railway line other train experiences await: The "Mont-Blanc-Express" brings visitors to the French vacation destination of Chamonix via a spirited narrow-rail train. The "St. Bernard Express" leads to Orsières and Châble. The postal bus picks up passengers in Orsières to bring them to the Great St. Bernard Hospice.

2 | Bernhardinerhunde, Grosser St. Bernhard – St. Bernard dogs, Great St. Bernard – St-Bernard, Grand St-Bernard 3 | Saillon
4 | Portes du Soleil, Champéry 5 | Martigny

Martigny | Verbier Champéry

Verbier
This vacation spot with over 25,000 beds is fully dedicated to the active tourist. Verbier is no place for dreamers and the nostalgic. Once a small village, it is now a chalet city that is predestined to hold large international events with its countless sports opportunities and perfectly developed logistics. And Verbier certainly makes use of this setup by attracting sports enthusiasts from all over the world. Over 400 kilometers of hiking trails and ski slopes and 220 kilometers of mountain biking trails keep visitors on their feet.

Champéry
By train, we travel from Ollons to one of the oldest vacation spots in Switzerland. The village, embedded in the large ski area "Les Portes du Soleil", has been able to save some of its historic charm. No need to quote numbers – the sheer dimensions of the ski and hiking trail network are simply incredible.

Martigny
Martigny est la capitale du district du même nom. Elle est située au bord du Rhône, et s'étend au milieu de potagers et de vergers luxuriants. Fraises, raisins, abricots, asperges etc. poussent sous le soleil valaisan. Des célébrités comme Rousseau, Goethe, Stendhal et Liszt purent apprécier la saveur des produits régionaux dans les restaurants de l'époque. Martigny a plus de 2000 ans. Des tribus celtes, les Romains et Napoléon y ont laissé leurs empreintes. Ce qui est certainement lié à la situation stratégique de la ville. Ici, sur la ligne de chemin de fer Genève-Milan commence une autre aventure : on peut se rendre en « Mont-Blanc Express » dans la station française de Chamonix par une voie de chemin de fer étroite. Le « St-Bernard Express » passe par à Orsières et Châble. À Orsières le car postal prend les passagers pour les amener à l'hospice du Grand-Saint-Bernard.

Verbier
Avec plus de 25 000 lits, ce lieu de villégiature est devenu le rassemblement des touristes. Rêveurs et nostalgiques n'y ont plus leur place. Le petit village d'origine, grâce à une logistique impeccable et par son offre d'innombrables activités sportives est devenu une ville de chalets, forte de toutes les infrastructures requises pour organiser des événements d'ampleur internationale, ce qui fait de Verbier également un lieu bondé. La station attire les amateurs de sports du monde entier. Avec plus de 400 km de sentiers de randonnées ou de pistes de ski, et 200 km de pistes de mountain-bike, les sportifs n'ont guère le temps de s'y ennuyer.

Champéry
D'Ollons, le train emmène les voyageurs pour l'une des plus anciennes destinations de vacances en Suisse. La localité intégrée à l'immense domaine skiable « Les Portes du Soleil » a su, jusqu'à nos jours, conserver une partie de son charme historique. La station de ski et le réseau des randonnées sont si vastes qu'il est difficile de les énumérer ici.

1 | Gstaad, Fussgängerzone mit Hotel Palace – Gstaad, pedestrian zone with Hotel Palace – Gstaad, zone piétonne et l'hôtel Palace 2 | Bergrestaurant Eggli, Gstaad – Mountain restaurant Eggli, Gstaad – Restaurant d'altitude Eggli, Gstaad 3 | Montreux-Berner-Oberland-Bahn «Golden Pass» –

Villars-sur-Ollon Château-d'Oex Gstaad Saanenland

Villars-sur-Ollon

Schöner kann ein Ferienort nicht liegen: Er ist gegen Süden orientiert, mit einer Panorama-Aussicht auf die Dents-du-Midi, das Massiv des Mont-Blanc und auf den Genfersee. Villars hat viele internationale Gäste, deren Sprösslinge eine Privatschule besuchen. Die Durchmischung von Jung und Alt ist damit gewährleistet. Zur gleichen Feriendestination gehört Gryon, das etwas tiefer an der östlichen Talflanke liegt.

Château-d'Oex – Rougemont

Die ein wenig abgelegene und zur Waadt gehörende Ferienregion heisst auf Französisch «Pays d'Enhaut», was so viel wie Oberland bedeutet. Auf dem Weg von Bulle nach Gstaad erreicht man auf 1000 Metern Höhe die Ferienorte auf einem sonnigen Plateau. Dank günstigem Mikroklima hat sich die Station zur Heissluftballon-Hauptstadt der Schweiz entwickelt. Ganzjährig werden Ballonflüge angeboten und im Februar findet jeweils ein internationaler Wettbewerb im Heissluftballon-Fahren statt. Nicht verpassen sollte man den Besuch des sympathischen Städtchens und des Museums «Espace Ballon», wo von Jules Verne bis Piccard alle Pioniere und ihre Abenteuer dokumentiert sind.

Gstaad Saanenland

Stars und Sternchen, Reiche und Schöne hat es in Gstaad viele. Wer nun aber glaubt, hier können nur Besserverdienende Ferien machen, vergisst das weitläufige Saanenland mit den Gemeinden Saanen, Schönried, Saanenmöser, Gsteig und Lauenen. Hier gibt es viele Möglichkeiten, seine Ferien nach Budget zu planen. Diese Aussage stimmt für die Ferien, nicht aber für den Erwerb einer Immobilie. Die Preise sind ins Unermessliche gestiegen. Gstaad erlangte nicht nur der Filmstars wegen Berühmtheit. Viele Top-Events machen die Region in aller Welt bekannt: das Tennis Suisse Open (ATP-Turnier), das Menuhin-Festival zu Ehren des grossen Dirigenten und Geigers, der Polo Gold Cup, die Country Night, Sommets Musicaux und das Beach-Volleyball-Turnier. Die Panorama-Bahnstrecke, der «Golden Pass», von Montreux über Gstaad an den Thunersee, Interlaken und weiter über den Brünig nach Luzern, ist für die Anbieterin MOB ein voller Erfolg.

Villars-sur-Ollon Château-d'Oex Gstaad Saanenland

Villars-sur-Ollon

Its location could not possible be more beautiful: It faces southward with a panoramic view of the Dents-du-Midi, the Mont Blanc massif and Lake Geneva. Villars has many international guests, whose offspring attend a private school. This guarantees for both younger and older crowds in town. Gryon, which is located on the lower eastern edge of the valley, is also part of this holiday destination.

Château-d'Oex – Rougemont

A little out of the way and part of Waadt, this tourist region is called "Pays d'Enhaut" in French, which roughly translates to "uplands". The resorts are located on the way from Bulle to Gstaad, at an elevation of 1,000 meters atop a sunny plateau. Due to the favorable micro-climate, the town has become the hot air balloon capital of Switzerland. Balloon flights are offered year-round, and an international hot air balloon competition is held each February. Do not miss this friendly town and the "Espace

Montreux-Berner-Oberland train "Golden Pass" – «Golden Pass» ligne Montreux-Oberland bernois 4 | Internationales Heissluftballon-Treffen, Château-d'Oex – International hot air balloon festival, Château-d'Oex – Rencontre internationale de montgolfières, Château-d'Oex 5 | Villars-sur-Ollon

Ballon" museum, documenting pioneers ranging from Jules Verne to Piccard and their adventures.

Gstaad Saanenland

Gstaad seems to be full of stars and starlets, the rich and beautiful. However, you do not have to be a high-income earner to vacation here – the spacious Saanenland with the municipalities Saanen, Schönried, Saanenmöser, Gsteig and Lauenen offer plenty of budget-friendly options. When it comes to acquiring real estate, there is no such thing as budget-friendly: Prices have definitely hit the roof. Gstaad is not only famous for movie stars. Many top events make the region known all around the globe: The Tennis Suisse Open (ATP tournament), the Menuhin Festival to honor the great conductor and violinist, the Polo Gold Cup, Country Night, Sommets Musicaux and the Beach Volleyball Tournament. The "Golden Pass", the panoramic railway from Montreux via Gstaad to Lake Thun, Interlaken and over the Brünig to Lucerne, is a major hit for its provider, MOB.

Villars-sur-Ollon Château-d'Oex Gstaad Saanenland

Villars-sur-Ollon

La station ne pourrait être mieux située: Elle est orientée plein sud, avec une vue panoramique sur les Dents du Midi, le Mont-Blanc et le lac Léman. Villars compte de nombreux hôtes internationaux dont les enfants fréquentent les différentes écoles privées. Le mélange des générations y est donc assuré. Gryon, situé un peu plus bas sur le flanc est de la vallée, est une destination de vacances tout aussi attrayante.

Château-d'Oex – Rougemont

Cette région de vacances un peu isolée rattachée à Vaud, est appelée en français «Pays d'Enhaut», l'équivalent d'Oberland. On accède à la station située sur un plateau ensoleillé à 1000 mètres d'altitude par la route de Bulle à Gstaad. Le microclimat favorable a fait que Château d'Oex est devenue la capitale suisse de la montgolfière. Des vols sont proposés toute l'année, et une compétition internationale à lieu chaque année en février. A ne pas manquer, la visite de la sympathique petite ville et de son musée «Espace Ballon» où tous les explorateurs dont les aventures, de Jules Verne à Piccard sont mises en valeur.

Gstaad Saanenland

À Gstaad, ce ne sont pas les stars et les gens de la haute société qui manquent. Mais celui qui croit pour cette raison que seuls ceux qui ont de l'argent peuvent se permettre d'y passer des vacances, oublient le vaste Saanenland et ses communes de Saanen, Schönried, Saanenmöser, Gsteig et Lauenen. Il y a ici beaucoup de possibilités pour planifier des vacances adaptées à son budget. Cela est vrai pour les vacances, mais pas pour l'achat d'une propriété. Les prix ont flambés. Gstaad ne doit pas uniquement sa réputation aux stars de cinéma. De nombreux événements prestigieux ont rendu cette région célèbre dans le monde entier: l'Open de tennis suisse (Tournoi ATP), le Menuhin Festival en l'honneur des grands chefs d'orchestre et violonistes, la Polo Gold Cup, la Country Night, les Sommets Musicaux et le tournoi de Beach-volleyball. Le «Golden Pass», la ligne ferroviaire panoramique de Montreux à Lucerne, via Gstaad au lac de Thoune, Interlaken et Brünig, est pour la compagnie Montreux-Oberland bernois (MOB) un total succès.

1 | Adelboden, Skigebiet Gilbach – Adelboden, ski resort Gilbach – Adelboden, domaine skiable de Gilbach 2 | Lenk – La Lenk
3 | Panorama-Restaurant Stockhorn – Panorama restaurant Stockhorn – Restaurant panoramique Stockhorn

Lenk | Simmental Adelboden

Lenk

Die Kur- und Feriendestination ist eine der ältesten überhaupt. 1689 erhielt Lenk die erste Badekonzession. 1862 wurde das Kurbad mit 80 Wohnzimmern und diversen Spielmöglichkeiten neu eröffnet. Wie fast überall waren die Sommergäste die Haupteinnahmequelle. 1912 eröffnete die MOB die Bahnlinie, aber erst 1937 folgte die erste Bergbahn, die sogenannte Funi auf die Balmen, die 16 Personen befördern konnte. Der Ort Lenk verfügt noch über 5000 weitere Übernachtungsplätze für die verschiedensten Ansprüche: von der Suite bis zum Massenlager.

Simmental

Das Tal ist eher eine ruhige und beschauliche Gegend. Die schönsten Flecken entdeckt man abseits der im Tal verlaufenden Verkehrswege. Hier bestimmt die Landwirtschaft das Leben. Und die Bauern züchten und pflegen ein weltbekanntes Nutztier: das Simmentaler Fleckvieh. Es ist auf allen Kontinenten zu Hause und mit einer Population von 50 Millionen Tieren eine der bedeutendsten Rinderrassen, die auch wegen der hohen Milchleistung geschätzt werden. Einen Besuch wert ist das im untersten Simmental abzweigende Diemtigtal. Allein schon der 400 Jahre alten Holzhäuser wegen, die zu einer Art Freilichtmuseums-Weg zusammengefasst wurden.

Adelboden

Der dörfliche Charakter des Feriendorfes zuhinterst im Engstligental macht Adelboden zum Liebling der Ruhesuchenden mit Bodenhaftung. Die Bergkulisse ist beeindruckend. Vor allem Wild- und Gross-strubel sowie die beiden Lohner stehen majestätisch Wache. Im Sommer sind es vor allem Wanderer und Bergsteiger, welche hier Urlaub machen. Adelboden hat über 300 km markierte Wege. Mit den Ski-Weltcuprennen am Kuonisbergli wird die herrliche Landschaft über den Bildschirm in alle Welt «gesendet». Sehenswert sind die Engstligenfälle, die nach einer Stunde Fussmarsch erreicht werden. Zwei gewaltige Wasserfälle mit insgesamt 600 Metern Höhendifferenz stürzen zu Tal. Ein beliebter Ausflug mit vielen Wandermöglichkeiten ist die Fahrt mit der neuen Kabinenbahn auf die Sillerenalp.

Lenk | Simmental Adelboden

Lenk

Lenk is one of the oldest spa and resort destinations: It obtained its first spa license in 1689. In 1862, the spa was reopened with 80 rooms and various games on offer. Summer guests were commonly the main source of income. The MOB opened the railway line in 1912, but the first mountain railway did not open until 1937: The so-called "Funi auf die Balmen", which had a capacity for 16 people. Lenk now boasts 5,000 additional beds for the most diverse of needs, ranging from luxury suite to hostel dormitory.

Simmen Valley

This valley is a rather quiet and tranquil area. The most beautiful spots can be found away from the traffic routes along the valley, where agriculture still very much shapes people's lives. Local farmers breed a world-famous livestock: Fleckvieh cattle. It calls all continents its home and, with a population of 50 million, it is one of the most important breeds of cattle and is also valued for its high milk yield. The Diemtig Valley, branching off in the lowest part of the Simmen Valley, is also worth a visit, if

4 | Simmentaler Haus, Oberwil – Simmental house, Oberwil – Maison traditionnelle du Simmental, Oberwil
5 | Alpaufzug im Diemtigtal – Cattle drive in Diemtig Valley – Montée à l'alpage à Diemtigtal

only for its 400-year-old wooden houses that were consolidated into a sort of outdoor museum road.

Adelboden

Due to its rural character, this resort village in the farthest reaches of the Engstligen Valley is a favorite with down-to-earth visitors in search for piece and quiet. The mountain backdrop is impressive. In essence, Wildstrubel and Grossstrubel and the two Lohner mountains majestically stand guard. In the summertime, Adelboden primarily attracts hikers and mountain climbers. Adelboden boasts over 300 kilometers of marked trails. Its gorgeous landscape is shown on screens all around the world during the Skiing World Cup at the Kuonisbergli. Major attractions include Engstligen Falls, reached by an hour-long walk on foot. Two massive waterfalls with a total of 600 meters of height difference crash down into the valley. Sillerenalp, which can be reached by gondola lift, is also a popular excursion and offers more hiking opportunities.

La Lenk | Simmental Adelboden

La Lenk

Ce lieu de cure et de vacances est l'un des plus anciens, puisque La Lenk obtient la première licence thermale en 1689. En 1862, la station thermale fut réhabilitée, offrant 80 chambres et différentes animations. Comme presque partout, ce sont les estivants qui étaient la principale source de revenus. En 1912, la ligne de chemin de fer MOB fut inaugurée, puis en 1937, le premier train de montagne, le « Funi auf die Balmen ». Aujourd'hui, de la suite au dortoir, La Lenk dispose de 5000 autres possibilités d'hébergement pour répondre aux exigences les plus variées.

Simmental

La vallée est avant tout une région calme et reposante. Les plus beaux sites se trouvent à l'écart des routes qui la traversent. On y vit principalement de l'agriculture. Et surtout, les paysans élèvent et soignent la vache tachetée du Simmental, de renommée mondiale. 50 millions d'animaux, bien acclimatés, peuplent à présent tous les continents. Leur race est l'une des plus importantes, et elle est appréciée pour son rendement élevé en lait. Le Diemtigtal, en bifurquant dans le Simmental inférieur vaut le détour, ne serait-ce que pour ses maisons en bois vieilles de 400 ans, qui ont été réunies sur un itinéraire pour former une sorte d'écomusée.

Adelboden

Le caractère rural du village tout au fond de l'Engstligental fait d'Adelboden le lieu de prédilection des personnes qui recherchent la tranquillité, sans pour autant se couper du monde. Les montagnes sont impressionnantes, surtout le Wildstrubel et le Grossstrubel ainsi que les deux Lohner qui montent majestueusement la garde. En été, ce sont surtout les randonneurs et les grimpeurs qui viennent en vacances ici. Adelboden dispose de 300 km de sentiers balisés. Avec les courses de la Coupe du Monde de ski de Kuonisbergli, le magnifique paysage est « diffusé » sur les écrans du monde entier. Les cascades d'Engstligen, à une heure de marche, valent le coup d'œil. Elles sont énormes, et plongent dans la vallée avec un dénivelé total de 600 mètres. Une virée à Sillerenalp grâce à la nouvelle télécabine est une excursion qui, avec ses nombreux sentiers de randonnés, est très appréciée.

1 | Thun – Thoune 2 | Schlosskirche Spiez mit Thunersee – Castle church Spiez with Lake Thun – Église du château de Spiez et lac de Thoune
3 | Blausee, Kandertal

Kandersteg Thunersee Interlaken

Kandersteg

Die Geschichte des kleinen Orts zuhinterst im Kandertal ist eng verknüpft mit dem Lötschenpass. Über Jahrhunderte hatten Säumer diesen Handelsweg benutzt. 1906–1913 wurde der Lötschbergtunnel nach Goppenstein gebaut. Er dient nicht nur dem Personentransport, sondern ist auch eine viel benutzte rollende Strasse. Die vielen mächtigen Berge, welche das Feriendorf an der Peripherie berühren, sind sehr eindrücklich.

Thunersee-Region

Auf dem Weg an den Thunersee reisen wir durch schöne Dörfer und entdecken das romantische Kiental. Die Fahrt mit dem schmalen, kleinen Postauto von Kiental auf die Griesalp über die steilste Bergpoststrasse Europas ist ein Erlebnis der Sonderklasse. Abenteuerlich ist auch die Fahrt mit der Niesenbahn ab Mülenen auf den Charakterberg. Ebenfalls von hier aus lohnt sich ein Abstecher nach Aeschi.

Spiez

Der Ort, der vom Schloss dominiert wird, liegt eingebettet zwischen Rebberg und sanften Hügeln. Besonders eindrücklich ist eine Wanderung auf dem von mächtigen alten Bäumen überdeckten Strandweg nach Faulensee. Auch an sehr heissen Tagen ist es hier angenehm kühl.

Thun

Die Stadt am unteren Ende des Thunersees mit seinen zwei Aareläufen mitten durch die Stadt wird als Tor zum Berner Oberland bezeichnet. Die historische Altstadt, über der stolz das Schloss und die Kirche auf dem Schlosshügel thronen, ist wohl das beliebteste Fotosujet. Die Altstadt mit schönen Plätzen, Bars, Restaurants und Spezialgeschäften ist stets stark bevölkert.

Interlaken

Das Strassenbild wird das ganze Jahr von den vielen asiatischen Touristen geprägt, die hier Luxusgüter kaufen und mit der Jungfraubahn zum höchstgelegenen Bahnhof Europas fahren wollen. Der Ferien- und Kongressort von internationaler Bedeutung ist ein idealer Ausgangspunkt für zahlreiche Ausflüge auf die Berge, in höher gelegene Kurorte und auf den Thuner- und Brienzersee.

Kandersteg Lake Thun Interlaken

Kandersteg

The history of the small village in the back of the Kander Valley is closely connected to the Lötschen Pass. Freight haulers had used this trade route for centuries. From 1906–1913, the Lötschberg Tunnel to Goppenstein was built. Its purpose is not only passenger transportation, but it is also a frequently used "rolling road". The many imposing mountains on the periphery of the resort village are very impressive.

Lake Thun region

On the way to Lake Thun, we pass through beautiful villages and discover the romantic Kien Valley. The trip with the quaint postal bus from Kiental to Giesalp leads over the steepest mountain postal road in Europe and is a truly special experience. Another adventurous ride: take the Niesenbahn funicular from Mülenen up to the characteristic mountain. Also worthwhile from there is a trip to Aeschi.

4 | Schloss Oberhofen, Raddampfer «Blüemlisalp» – Castle Oberhofen, paddle-steamer "Blüemlisalp" – Château d'Oberhofen, bateau à vapeur « Blüemlisalp » 5 | Oeschinensee, Kandersteg

Spiez

The village, dominated by the castle, lies nestled between a vineyard and gentle hills. A hike on the lakeshore toward Faulensee, on a trail overshadowed by mighty old trees, is particularly impressive. It is comfortably cool here even on hot days.

Thun

The city at the lower end of Lake Thun, with its two tracts of the River Aare flowing through the middle of the city, is considered a gateway to the Bernese Oberland. The historic old town, above which the castle and church proudly loom on the castle hill, is easily the most beloved subject of photos. The old town with beautiful squares, bars, restaurants and specialty shops is always very busy.

Interlaken

Year-round, the street scene is shaped by the many Asian tourists who purchase their luxury goods here and wish to travel to the highest train station in Europe with the Jungfraubahn. Interlaken is a resort and conference town of international importance and is an ideal starting point for numerous excursions into the mountains, into the highly elevated spa areas and onto the lakes of Thun and Brienz.

Kandersteg Lac de Thoun Interlaken

Kandersteg

L'histoire de la petite ville du fond du Kandertal est étroitement liée au col de Lötschen. Les muletiers, pendant des siècles, ont emprunté cette route commerciale. Le tunnel du Lötschberg, est un tunnel ferroviaire qui relie Kandersteg à Goppenstein. Construit entre 1906 et 1913, il permet à présent le transport de voyageurs, d'automobiles et d'autres marchandises. Les nombreuses hautes montagnes qui bordent le village touristique en périphérie sont très impressionnantes.

Region du Lac de Thoune

Sur les rives du lac Thoune, la traversée de beaux villages permet de découvrir le romantique Kiental. Une montée dans le tout petit car postal depuis Kiental jusqu'à Griesalp par la route postale de montagne la plus raide d'Europe est une expérience tout à fait exceptionnelle. Le trajet en funiculaire au départ de Mülenen jusqu'au Niesen, cette montagne en forme de pyramide, est une véritable aventure. De là aussi, un crochet par Aeschi vaut le détour.

Spiez

Le village, dominé par le château, est niché entre les vignes et les collines. La randonnée sur la rive bordée d'arbres magnifiques jusqu'à Faulensee est vraiment agréable. Même les jours de grosse chaleur, il y fait agréablement frais.

Thoune

La ville à l'extrémité inférieure du lac de Thoune est considérée, avec ses deux cours de l'Aar qui y passent en plein milieu, comme la porte de l'Oberland bernois. La Vieille Ville historique, au-dessus de laquelle le château et l'église perchée sur la colline trônent fièrement, est probablement la photo la plus connue. La Vieille Ville et ses belles places, bars, restaurants et boutiques spécialisées est constamment pleine monde.

Interlaken

Les rues d'Interlaken sont toute l'année remplies de touristes asiatiques qui veulent y acheter des produits de luxe et prendre le train de la Jungfrau jusqu'à la gare la plus élevée d'Europe. Cette station touristique, lieu d'accueil de congrès d'envergure internationale, est aussi un point de départ idéal pour entreprendre des excursions aux lacs de Thoune et de Brienz, et dans les montagnes, jusqu'aux stations thermales d'altitude.

1 | Wengernalpbahn – Wengernalp railway – Train du Wengernalp

Grindelwald Wengen | Mürren

Jungfrau-Region

Auf dem Weg in die Jungfrauregion können wir die Dörfer Wilderswil und Gsteigwiler besuchen. Zusammen mit den höher gelegenen Saxeten und Isenfluh bilden sie ein kleines, ruhiges Feriengebiet abseits des geschäftigen Treibens von Interlaken. In Zweilütschinen trennen sich Strassen und Schienen, um uns nach Grindelwald oder nach Lauterbrunnen zu bringen.

Mürren

Das autofreie Mürren ist mit einer Pendelbahn von Lauterbrunnen aus erreichbar. Ab Stechelberg führt auch eine Luftseilbahn ins Dorf und weiter auf das Schilthorn zum bekannten Drehrestaurant Piz Gloria. Das 360°-Panorama im Drehrestaurant verwöhnt uns mit dem Dreigestirn Eiger, Mönch und Jungfrau und gibt den Blick frei vom Mont Blanc bis in den Schwarzwald.

Wengen

Die autofreie Ferienstation liegt auf einer windgeschützten Sonnenterrasse am Fusse der Jungfrau. Erreichbar ist Wengen mit der Wengernalpbahn von Lauterbrunnen aus, die bis zur Kleinen Scheidegg führt. Hier können die Passagiere umsteigen für die abenteuerliche Reise aufs Jungfraujoch. Mit den etwas in die Jahre gekommenen Holzhäusern, den verstreuten Chalets und den Hotels aus der Belle Epoque hat Wengen den Charakter eines Bilderbuch-Bergdorfs bewahrt.

Grindelwald

Die politische Gemeinde Grindelwald, zu der viele Weiler und Höfe weit verstreut im Tal der Schwarzen Lütschine gehören, zählt rund 4000 Einwohner. In der Ferienzeit wird das Gletscherdorf zur Stadt. Es liegt eingebettet in einer abwechslungsreichen Berglandschaft, deren Kulisse Wetterhorn, Eiger, Mönch und Jungfrau bilden – alles eisgekrönte Berge mit grossem Bekanntheitsgrad. Auf der neun Kilometer langen Strecke auf das Jungfraujoch befindet man sich plötzlich in einer Welt aus Fels, Eis und Schnee. 7 km davon sind im Tunnel und durchqueren Eiger und Mönch. Weltweit bekannt ist die Eigernordwand.

Grindelwald Wengen | Mürren

Jungfrau region

On our way into the tourist destinations in the Jungfrau region, we can visit the villages of Wilderswil and Gsteigwiler. Together with Saxeten and Isenfluh at a higher elevation, they form a small and tranquil resort area beyond the commercial bustle of Interlaken. Streets and rails separate in Zweilütschinen to bring us either to Grindelwald or Lauterbrunnen.

Mürren

The car-free village of Mürren can be reached via aerial tram from Lauterbrunnen. An aerial cable car from Stechelberg also goes into the village and further along up the Schilthorn to the famous rotating restaurant Piz Gloria. The 360-degree panorama in the rotating restaurant spoils us with the triumvirate Eiger, Mönch and Jungfrau and provides a clear view from Mont Blanc to the Black Forest.

2 | Eiger, Mönch und Jungfrau – Eiger, Mönch and Jungfrau – Eiger, Mönch et Jungfrau
3 | Grindelwald mit Wetterhorn – Grindelwald with Wetterhorn – Grindelwald et Wetterhorn 4 | Wengen 5 | Mürren

Grindelwald Wengen | Mürren

Wengen

This car-free resort village is located on a wind-protected sunny terrace at the foot of the Jungfrau. Wengen can be reached with the Wengernalp railway from Lauterbrunnen, which leads up to Kleine Scheidegg. Here, passengers can switch trains for the adventurous trip up to the Jungfraujoch. With its ageing wooden houses, scattered chalets and Belle Époque hotels, Wengen has retained the feel of a picture-book mountain village.

Grindelwald

The municipality of Grindelwald, which includes many hamlets and farms strewn about the Valley of the Black Lütschine, has around 4,000 inhabitants. During the vacation season, the glacier village becomes a city. It lies nestled in a diverse mountain landscape formed by the Wetterhorn, Eiger, Mönch and Jungfrau – all these iconic, ice-capped mountains. On the 9-kilometer stretch to the Jungfraujoch, you suddenly find yourself in a world of rock, ice and snow. Over 7 km of this route pass through Eiger and Mönch in a tunnel. The north face of the Eiger is known around the world.

Région de la Jungfrau

Sur le chemin des stations touristiques célèbres de la région de la Jungfrau, les villages de Wilderswil et Gsteigwiler forment, accompagnés d'Isenfluh et Saxeten situés plus haut, une agréable petite zone touristique tranquille, loin de l'agitation d'Interlaken. Les routes et les voies ferrées se séparent à Zweilütschinen pour conduire à Grindelwald ou à Lauterbrunnen.

Mürren

Le village sans voitures est accessible avec un téléphérique au départ de Lauterbrunnen ou de Stechelberg par télélécabine. De là, on accède au Schilthorn jusqu'au célèbre restaurant Piz Gloria. Ce restaurant tournant offre un panorama à 360° prodigieux sur la triade Eiger, Mönch et Jungfrau, et sur tout l'horizon du Mont Blanc à la Forêt-Noire.

Wengen

La station touristique sans voitures est située sur une terrasse ensoleillée abritée au pied de la Jungfrau. Wengen est accessible depuis Lauterbrunnen par le train Wengernalpbahn qui mène jusqu'à la petite Scheidegg. Les passagers peuvent y prendre une correspondance pour une téméraire expédition au Jungfraujoch. Avec ses maisons en bois vieillissantes, ses chalets dispersés et ses hôtels de la Belle Époque, Wengen a conservé le caractère d'un village de montagne comme on en voit sur les brochures.

Grindelwald

La commune politique de Grindelwald aux nombreux hameaux et fermes dispersés au loin dans la vallée de la Lütschine noire, compte environ 4000 habitants. Pendant les vacances, le village du glacier se transforme en une ville animée. Il est niché dans un paysage impressionnant, face aux montagnes, le Wetterhorn, l'Eiger, le Mönch et la Jungfrau, dont les pics aux neiges éternelles on fait la notoriété mondiale. Sur le tronçon de neuf kilomètres qui mène au Jungfraujoch, on se retrouve soudainement en plein milieu d'un monde de roche, de glace et de neige. Il y a sept kilomètres de tunnels percés à travrs l'Eiger le le Mönch. La paroi nord de l'Eiger est elle aussi célèbre dans le monde entier, pour être l'une des voies d'escalades les plus exigeantes de la planète.

1 | Iseltwald

Brienzersee

Giessbach

Der Anblick des Grandhotels hoch über dem See ist aus allen Richtungen atemberaubend. Wer vom See her kommend in Giessbach aus dem Schiff steigt und mit der ältesten Standseilbahn Europas am tosenden Wasserfall entlang hochgefahren wird, hat das Einmalige gewählt. Mit der Stiftung «Giessbach dem Schweizer Volk» gelang es Umweltschützer Franz Weber, das Grandhotel mit der aufregenden Geschichte vor dem Untergang zu retten. Die Besucher werden nach wie vor vom schlossähnlichen Gebäude verzaubert. Glanz und Glamour leben weiter. Der schäumende Giessbach, der sich in 14 Etappen in den Brienzersee stürzt, trägt das Seine dazu bei.

Brienz

Nach der verheerenden Naturkatastrophe im August 2005, die Häuser, Strassen und Brücken vernichtete, lag das Feriendorf am oberen Ende des Brienzersees am Boden. Doch die Haslitaler sind Bergler und hart im Nehmen. Sie gaben nie auf und bauten neben den Schutzanlagen die zerstörten Quartiere wieder auf. Wer heute durch das Dorf spaziert, sieht zwar noch Narben, aber der Eindruck ist mehr als positiv. Drei Attraktionen haben das Dorf bekannt gemacht. Die Schule für Holzbildhauerei in Brienz ist die einzige Institution in der Schweiz, in der dieses Handwerk erlernt werden kann. Sie wurde als Schnitzerschule Brienz 1884 gegründet. Um 1900 waren in Brienz und Umgebung 650 Schnitzer tätig. Die Brienz Rothorn Bahn ist die einzige Dampfbahn der Welt, die mit Lokomotiven aus drei Generationen jeden Tag fährt. Sie stampft, zischt und schnaubt wie ein Ungeheuer auf dem Weg zum Gipfel auf 2250 Metern. Und dies seit 120 Jahren. Der Ballenberg verkörpert die Schweiz von damals. Über 100 originale, jahrhundertalte Gebäude aus allen Teilen der Schweiz wurden gerettet und hier im Freilichtmuseum wieder aufgebaut.

Haslital

Wanderer zieht es ins Gebiet der Rosenlaui oder zur Grimsel. Keinesfalls verpassen darf man die Begehung der Aareschlucht. Während Jahrtausenden hat der Fluss einen tiefen Graben in den Kalkstein gefressen. Gegen 200 Meter tief und an der engsten Stelle kaum mehr als einen Meter breit ist die Aareschlucht zwischen Innertkirchen und Meiringen.

Lake Brienz

Giessbach

The view of the Grand Hotel high above the lake is breathtaking from all directions. For a spectacular experience, get to Giessbach by boat and ride past the tumultuous waterfalls in the oldest funicular in Europe. With the foundation "Giessbach for the Swiss People" the environmental conservationist Franz Weber was able to save the Grand Hotel with its exciting history from collapse. Visitors continue to be enchanted by the castle-like building that is still full of glitz and glamour. Nothing short of glamorous, also, is the frothing Giessbach spectacular fall into Lake Brienz over 14 steps.

Brienz

The devastating natural disaster of August 2005 destroyed homes, roads and bridges and almost brought the resort village at the upper end of Lake Brienz to a complete collapse. But the people of the Haslital, being the tough mountain dwellers they are, set out to erect new protective structures and also reconstructed the destroyed town's quarters. The scars are still visible today, but overall the town leaves a positive impression. Three attractions have put the village on the map. The school for wood

2 | Brienz Rothorn Bahn – Brienz-Rothorn railway – Chemin de fer de Brienz Rothorn 3 | Rosenlaui
4 | Aareschlucht bei Meiringen – Aare gorge near Meiringen – Gorges de l'Aar à Meiringen 5 | Bönigen

carving in Brienz is the only institution in Switzerland that teaches this craft. It was founded in 1884 as the Schnitzerschule Brienz. By 1900, there were 650 carvers working in and around Brienz. The Brienz Rothorn Bahn is the only steam train in the world that travels with locomotives from three generations every day. For over 120 years, it has thudded, hissed and snorted like a beast on the track to the summit at 2,250 meters. The Ballenberg gives insights into Switzerland's past. Over 100 original, centuries-old buildings from all regions of Switzerland have been preserved and reconstructed in this open air museum.

Hasli Valley

Hikers are drawn to the settlements of Rosenlaui or Grimsel. The Aare Gorge is a definite must-see. Over the centuries, the river has eaten away a deep chasm in the limestone. Around 200 meters deep, and barely over a meter wide in the narrowest spot, the Aare Gorge is located between Innertkirchen and Meiringen.

Lac de Brienz

Giessbach

Contemplé du haut du Grand hôtel dominant le lac, le panorama est époustouflant. Un beau parcours afin d'y accéder: accoster au petit port de Giessbach, puis emprunter le plus ancien funiculaire d'Europe qui longe la cascade mugissante. Avec la fondation «Giessbach au Peuple suisse», l'écologiste Franz Weber, grâce à son engagement, a réussi à sauver de la faillite ce bâtiment témoin de la Belle Epoque. Les visiteurs sont envoûtés par cet édifice aux allures de château, dont la grâce s'allie à la magnificence. Le Giessbach aux eaux écumantes, franchissant 14 paliers pour se jeter dans le lac de Brienz, ajoute à ce spectacle.

Brienz

Après la catastrophe naturelle d'août 2005 qui détruisit les maisons, les routes et les ponts, ce village touristique situé à l'extrémité supérieure du lac de Brienz était au bord de l'agonie. Cependant, les habitants de la vallée du Hasli, montagnards endurants, n'ont jamais baissé les bras, et ils ont reconstruit les quartiers dévastés à côté des dispositifs de protection. Si le village, aujourd'hui, présente encore bien des cicatrices, l'impression général est plutôt positive. Trois sites ont rendu le village célèbre: l'école de sculpture sur bois de Brienz est la seule institution de Suisse pour l'apprentissage de ce métier artisanal. Elle fut fondée en 1884 à Brienz et était à l'origine une école de sculpture. Dès 1900, on comptait 650 sculpteurs à Brienz et dans la région environnante; le train à vapeur du Brienzer Rothorn qui est le seul au monde depuis 120 ans, qui roulent chaque jour, grâce à des locomotives de trois générations. Elles halètent, sifflent et crachent tels des monstres à l'assaut du sommet à 2250 mètres d'altitude; le Ballenberg enfin, qui incarne la Suisse d'autrefois. Plus de 100 édifices originaux, vieux de plusieurs siècles et provenant de toutes les régions de Suisse, y ont été sauvegardés et reconstruits dans le musée de plein air.

Vallée du Hasli

La région de Rosenlaui ou du Grimsel attire les randonneurs. Il ne faut manquer le spectacle des gorges de l'Aar sous aucun prétexte. Depuis des milliers d'années, le fleuve creuse une profonde tranchée dans le calcaire. Les gorges de l'Aar, profondes d'environ 200 mètres, et aux endroits les plus étroits, un mètre de large seulement, se trouvent entre Innertkirchen et Meiringen.

1 | Pilatus - Pilate 2 | Obwalden mit Sarnersee - Obwalden with Sarnersee - Obwald et Sarnersee

Giswil | Sarnen Pilatus | Stans

Giswil

Mit dem Bau der Brünigbahn (heute Zentralbahn) begann für Giswil der wirtschaftliche Aufschwung; natürlich auch mit den «Fremden», denen es die schöne Obwaldner Landschaft angetan hatte. Das ist auch heute noch so. Wichtig sind dabei der Sarnersee, die grosse Talebene sowie ein Kranz von Bergen, von denen der Giswilerstock hervorsticht. Kulturell Interessierte werden hier fündig: Es gibt historische Bauwerke zu besichtigen, darunter die Pfarrkirche St. Laurentius, die Beinhauskapelle St. Michael, die Burgruine Rudenz und die Reste der Burg Rosenberg.

Sarnen

In Sarnen konzentriert sich vieles: arbeiten in der Gastronomie, im Gewerbe und in Industriebetrieben, lernen auf allen Stufen, den Kanton verwalten, im Kantonsrat tagen und sich fast immer ein wenig in den Ferien fühlen. Dazu tragen sicher die vielen Gäste und noch mehr Tagestouristen bei, welche die schöne Altstadt und das Seeufer bevölkern. Sehenswert ist auch der Landenberg, ehemaliger Sitz der Vögte und während 300 Jahren Tagungsort der Landsgemeinde, die 1998 an der Urne abgeschafft wurde. Das Historische Museum in der ehemaligen Kaserne und der Hexenturm an der Sarneraa (heute auch Staatsarchiv) geben Auskunft über die Vergangenheit des schönen Halbkantons Obwalden.

Pilatus

Er ist sagenumwoben (Pontius Pilatus soll im Pilatussee begraben sein), ein herrlicher Aussichtsberg, eine markante Erscheinung, auch vom Mittelland aus zu sehen, 73 Gipfel sind zu erkennen. Im obwaldnischen Alpnachstad steht die Talstation der steilsten Zahnradbahn der Welt, die auf den Pilatus führt.

Stans

Der Ort Stans liegt zwischen Stanserund Buochserhorn und dem westlichen Ausläufer des Bürgenstocks mit den Erstklasshotels, der in die Annalen des Welttourismus eingegangen ist und demnächst wieder an alte Glanzzeiten anschliessen will. Besonders schön für das Auge sind die Nachbarorte Beckenried, Buochs und Stansstad, alle am Vierwaldstättersee gelegen. Beckenried ist in den Köpfen der Kenner untrennbar verbunden mit der Klewenalp und Buochs mit dem Flugplatz.

Giswil | Sarnen Pilatus | Stans

Giswil

With the construction of the Brünig railway (today Central Railway) began the economic upswing for Giswil; also, of course, with the “foreigners” who continue to be drawn to the beautiful Obwalden landscape even today. Major attractions include Lake Sarnen, the large valley floor, as well as a ring of mountains with the prominent Giswilerstock. Culture enthusiasts will appreciate the numerous historic buildings, including the parish church of St. Laurentius, the St. Michael ossuary, the Rudenz Castle ruins and the remains of Rosenberg Castle.

Sarnen

Sarnen is many things at once: people working in gourmet cuisines, in commerce and industrial firms, education offered at all levels, the canton administration, conventions at the Cantonal Congress, and a vacation feel added to all that. Guests and tourists populate the beautiful old town and the lakeshore. Particularly noteworthy is the Landenberg, former seat of the stewards and meeting place of the cantonal assembly

3 | Kerns mit Pilatus – Kerns with Pilatus – Kerns et le Pilate 4 | Pilatus, Zahnradbahn – Pilatus, cog railroad – Pilate, train à crémaillère
5 | Älplerchilbi, Stans – "Älplerchilbi" (local event), Stans – Kermesse des armaillis, « l'Älplerchilbi » à Stans

for 300 years before it dissolved in 1998. The History Museum in the former barracks and the witch tower at the Sarneraa (today also the state archive) give insight into the past of this beautiful half canton.

Pilatus

It is steeped in legend (Pontius Pilate is allegedly buried in Lake Pilatus): A majestic panoramic mountain, a distinctive appearance, visible from the Mittelland, 73 peaks all in all. The Obwalden village of Alpnachstad is the starting point of the steepest cog railway in the world, which leads up Mount Pilatus.

Stans

Stans is located between the Stanserhorn and Buochserhorn and the western arm of the Bürgenstock with its first-class hotels, which has entered the annals of world history and now wishes to reconnect with its old glory days. Particular treats for the eye are the neighboring villages of Beckenried, Buochs and Stansstad, all located along Lake Lucerne. For experts of this area, Beckenried is irrevocably associated with the Klewenalp, just as Buochs is tightly linked with the airfield.

Giswil | Sarnen Pilate | Stans

Giswil

La construction du chemin de fer du Brünig (aujourd'hui Zentralbahn) a entraîné la relance économique de Giswil mais bien évidemment aussi l'arrivée des touristes « étrangers », conquis par le paysage magnifique de l'Obwald dont les atouts majeurs sont le lac de Sarnen, la grande plaine et sa couronne de montagnes, caractérisée par le Giswilerstock. Les amateurs de culture y trouveront leur compte : de nombreux monuments historiques les attendent, dont l'église paroissiale de St-Laurent, la chapelle ossuaire de St-Michel, les ruines du château de Rudenz et les vestiges du château de Rosenberg.

Sarnen

On trouve beaucoup d'avantages réunis à Sarnen : une hôtellerie prospère, des entreprises commerciales et industrielles, des formations à tous les niveaux, l'administration du canton, les réunions du conseil cantonal et, avec les nombreux hôtes et touristes de passage qui pullulent dans la magnifique Vieille Ville et sur les rives du lac, une atmosphère de vacances. Landenberg, ancien siège des baillis et, pendant 300 ans, lieu de réunion des États généraux abolis en 1998 par un vote, est également intéressant. Le Musée historique de l'ancienne caserne et de la « Tour des sorcières » à la Sarnerae (aujourd'hui également archives nationales) livrent des informations sur le passé du joli demi-canton d'Obwald.

Pilate

Montagne panoramique légendaire (Ponce Pilate serait enterré dans le lac Pilatus), phénomène remarquable, aussi à voir du Plateau suisse. 73 pics sont visibles autour d'elle. La station obwaldienne de départ du train à crémaillère le plus raide du monde, qui mène au Pilate, se trouve dans la vallée, à Alpnachstad.

Stans

La petite ville et son hôtel de luxe, inscrite dans les annales du tourisme mondial et dont l'ambition est, à l'avenir, de retrouver sa splendeur d'autrefois, est située entre le Stanserhorn et le Buochserhorn et les contreforts ouest du Bürgenstock. Les villes voisines de Beckenried, de Buochs et de Stansstad, toutes situées sur les bords du lac des Quatre-Cantons, sont vraiment agréables à visiter. Beckenried, dans l'esprit des connaisseurs en aéronautique, est en liaison étroite avec la Klewenalp et l'aérodrome de Buochs.

1 | Kapellbrücke, Luzern – Chapel Bridge, Lucerne – Kapellbrücke, Lucerne

Engelberg | Luzern

Engelberg und Gletscherziel Titlis

Das Dorfbild der grossen Ferienstation (eine Enklave des Kantons Obwalden) wird vom Benediktinerkloster und der Stiftskirche geprägt. Engelberg ist so etwas wie das Naherholungsgebiet für die Agglomeration Luzern und ein Muss für seine vielen Touristen aus aller Welt. Engelberg verfügt mit rund 50 Hotels/Gastronomiebetrieben und den vielen Ferienwohnungen über rund 12 000 Gästebetten. Der Ort ist nicht gerade eine Oase der Ruhe, mehr eine Ferienheimat für Sportler, Junge und Junggebliebene und Geniesser jeder Spezies. Ein Engelsgeschenk für den Tourismus ist der Titlis, der König der Innerschweizer Gletscherberge mit 3000 Metern Höhe.

Luzern

Zweifellos ist die Kantonshauptstadt mit über 80 000 Einwohnern das wirtschaftliche und kulturelle Zentrum der Zentralschweiz. Auch für Strasse, Schiene und Wasser ist Luzern Dreh-/Angelpunkt. Leider wurde die Kapellbrücke, bei der in der Mitte das Wahrzeichen von Luzern, der Wasserturm, steht, 1993 durch ein Feuer zerstört. Sie konnte dank gutem Bauregister wiederaufgebaut werden. Die Altstadt ist neben der Altstadt von Bern sicher die schönste der Schweiz. Historische und mit Fresken geschmückte Häuser, grosse Plätze, Kirchen und Kapellen können besichtigt werden. Die barocke Jesuitenkirche und die zwei Türme der Hofkirche sind aus dem Altstadtbild nicht wegzudenken. Verkehrshaus: Es ist das grösste und meistbesuchte Museum.
Bourbaki-Panorama: Mit dem 112 Meter langen, gemalten Bild besitzt Luzern eines der wenigen erhaltenen Panorama-Rundgemälde. Kunstmuseum, Richard-Wagner-Museum, Sammlungen von Picasso und Hans Erni. Gletschergarten: Er zeigt Luzern während der Eiszeit vor 20 000 Jahren und im subtropischen Klima vor 20 Mio. Jahren. KKL (Kultur- und Kongresszentrum Luzern): Die Verantwortlichen haben dem monumentalen Bau, der schon der eindrücklichen Grösse wegen nicht übersehen werden kann, drei Leitmotive verpasst: Dach für Luzern – Schweizer Ikone – Europäisches Haus.

Engelberg | Lucerne

Engelberg and glacial destination Titlis

The appearance of this large resort town (an enclave of the canton of Obwalden) is shaped by the Benedictine abbey and the parish church. Engelberg is a nearby destination to relax for locals living in the agglomeration area of Lucerne, and at the same time a must-see for many tourists from all around the world. Engelberg offers over 12,000 guest beds with around 50 hotels/catering companies and many holiday homes. The town is not exactly an oasis of peace, but rather a vacation home for athletes, the young and the young-at-heart, and for aficionados of all sorts. The Titlis, the king of glacial mountains in central Switzerland at 3,000 meters, is a blessing for local tourism.

Lucerne

Without a doubt, the cantonal capital with 80,000 residents is the economic and cultural hub of central Switzerland, and it is also a traffic hub for roads, rails and water. Unfortunately, the Chapel Bridge with Lucernes landmark, the water tower, was destroyed in a fire in 1993. Due to the extensive documentation of its construc-

2 | Engelberg 3 | Titlis 4 | KKL, Kultur- und Kongresszentrum Luzern – KKL, Lucerne Culture and Congress Center – KKL, Centre de la culture et des congrès de Lucerne 5 | Luzern, Hofkirche

tion, it could be rebuilt. Similar to the old town in Bern, Lucerne's old town is considered to be one of the most beautiful in Switzerland. Attractions include historic and frescoed buildings, large squares, churches and chapels. The Baroque Jesuit church and the two towers of the Hofkirche (Church of St. Leodegar) are deeply ingrained in the old town's image.
The Verkehrshaus (traffic museum) is the largest and most frequented museum.
Bourbaki Panorama: With the 112-meter-long painting, Lucerne possesses one of the few preserved panoramic paintings. Kunstmuseum, Richard Wagner Museum, collections of Picasso and Hans Erni. Glacier Garden: Shows Lucerne during the Ice Age 20,000 years ago and in the sub-tropical climate 20 million years ago. KKL (Lucerne Culture and Congress Center): This monumental structure cannot be overlooked due to its impressive size, and it runs three leitmotifs: Roof for Lucerne – Swiss Icon – European House.

Engelberg | Lucerne

Engelberg et Glacier du Titlis

Le caractère de la grande station touristique (enclave du canton d'Obwald) est imprégné par le monastère bénédictin et la collégiale. Engelberg est un peu la zone de loisirs de proximité de l'agglomération de Lucerne, et un but recherché pour de nombreux touristes du monde entier. Avec presque 50 hôtels/établissements gastronomiques et quantité de logements de vacances, Engelberg dispose d'environ 12000 lits. On ne peut pas vraiment qualifier la localité de «havre de paix». C'est plutôt un centre touristique pour les athlètes jeunes et moins jeunes, et pour les épicuriens de toute nature. Le Titlis, roi des glaciers de Suisse centrale avec ses 3000 mètres, est une véritable attraction pour les touristes.

Lucerne

La capitale du canton, avec plus de 80000 habitants, est sans aucun doute le centre économique et culturel de Suisse centrale. Lucerne est également un point stratégique où les routes, les rails et les cours d'eau convergent. En 1993, le pont a été en grande partie détruit par le feu. Il a été reconstruit depuis. La Vieille Ville est certainement, avec le vieux Berne, la plus belle de Suisse. Les maisons historiques agrémentées de fresques, les grandes places, les églises et les chapelles ne demandent qu'à être visitées. L'église baroque des Jésuites et les tours jumelles de la «Hofkirche» sont le fleuron du quartier historique. Le musée des transports est le plus grand et le plus visité de Lucerne. Mais il y en a bien d'autres:

Le panorama Bourbaki: toile de 112 mètres de long, l'un des rares tableaux circulaires panoramiques existants. Le musée des Beaux-arts, le musée Richard Wagner, les collections de Picasso et de Hans Erni. Le jardin des glaciers: Il représente Lucerne au cours de la période glaciaire, il y a 20000 ans et dans un climat subtropical il y a 20 millions d'années. Le KKL (Centre de la culture et des congrès de Lucerne): Les responsables ont décidé de faire de cet édifice monumental difficile à ignorer, tellement sa taille est impressionnante, un triple symbole: celui de toit de Lucerne, d'icône suisse et de Maison de l'Europe.

1 | Weggis

Vierwaldstättersee Die Rigi

Küssnacht am Rigi

Unmittelbar beim Dorfeingang verunglückte am 29. August 1935 die belgische Königin Astrid tödlich. Die Gedenkstätte mit einer Kapelle wird noch heute von vielen Belgiern und Touristen aus aller Welt besucht. Eine kleine Luftseilbahn führt auf die beliebte Küssnachter Seebodenalp.

Weggis

Der wohl bekannteste Reiseschriftsteller, Mark Twain, schrieb 1897, dass Weggis der lieblichste Platz sei, den er je besucht habe. Oft wird der für sein mildes Klima bekannte Kur- und Ferienort mit der südfranzösischen Riviera verglichen. Weggis war schon immer ein Tourismuspionier. So war es der erste Ort in der Schweiz, der 1919 ein Lido eröffnete, wo Männer und Frauen gemeinsam baden durften.

Die Rigi

Drei Dinge sind es, welche die Gäste zur Fahrt mit der Luftseilbahn ab Weggis oder mit den Zahnradbahnen ab Vitznau und Goldau bewegen: die grossartige Aussicht auf das Panorama der Alpen, auf 13 Seen und das Mittelland bis nach Süddeutschland und ins Elsass, die sportliche Betätigung im Sommer und Winter in reiner, klarer Luft und eine Ruhe, die ihresgleichen sucht.

Vitznau

Der beliebte Ferien- und Ausflugsort liegt in einer idyllischen Bucht des Vierwaldstättersees und ist untrennbar mit der Rigi verbunden. Ende des 19. Jhs. wurde in Vitznau Technik-Geschichte geschrieben, als im Mai 1871 die erste Zahnradbahn Europas dampfend die Rigi erklomm.

Brunnen

Die Feriendestination direkt am See vis-à-vis Rütli und Schillerstein ist Wilhelm Tells Heimat. Da jedenfalls hatte ihn Schiller platziert. Das Gemeinschaftswerk der Schweizer Kantone «Der Weg der Schweiz», der um den Urnersee führt, hat nach wie vor eine grosse Anziehungskraft.

Schwyz

Der kleinen Stadt Schwyz, Hauptort des gleichnamigen Urkantons, verdankt die Schweiz sowohl den Namen wie auch das Wappen. Im Bundesbriefmuseum werden die wichtigsten Dokumente der Ur-Schweiz aufbewahrt.

Lake Lucerne The Rigi

Küssnacht am Rigi

On 29 August 1935, Queen Astrid of Belgium was involved in a fatal accident right at the entrance to the village. The memorial with its chapel continues to be visited by many Belgians and tourists from all around the world. A small cable car leads up to the popular Küssnacht Seebodenalp.

Weggis

Mark Twain, easily the most famous travel writer, wrote in 1897 that Weggis was the loveliest place he had ever visited. The spa and resort town is often compared to the southern French Riviera for its mild climate. Weggis has always been a pioneer in tourism. In 1919, it was the first town in Switzerland to open a lido open to both men and women for public bathing.

The Rigi

There are three things that inspire guests to take the cable car from Weggis or the cog railway from Vitznau and Goldau: the extraordinary panoramic view of the Alps, of 13 lakes and of the Mittelland as far as southern Germany and Alsace;

2 | Rigi-Staffel 3 | Vitznau 4 | Morschach 5 | Brunnen, Schiffsteg – Brunnen, ship dock – Brunnen, débarcadère

athletic activities in the summer and winter in clean, clear air; and the incomparable tranquility.

Vitznau
This popular destination lies in an idyllic bay of Lake Lucerne and is inseparably linked to the Rigi. In the late 19th century, Vitznau witnessed a technological milestone when, in May of 1871, the first cog railway in Europe steamily chugged its way up the Rigi.

Brunnen
Located directly by the lake opposite from Rütli and Schillerstein, this resort town is William Tell's home – at least according to Schiller. "The Path of Switzerland", the collaborative work of the Swiss cantons that leads around Lake Urnen, continues to attract visitors.

Schwyz
The small city of Schwyz, capital of the eponymous canton, gave Switzerland both its name as well as its emblem. The most important documents of Switzerland's history are preserved in the Federal Charter Museum (Bundesbriefmuseum).

Le Lac des Quatre-Cantons Le Rigi

Küssnacht am Rigi
Astrid, Reine des Belges, eut un accident mortel juste à l'entrée du village le 29 août 1935. De nombreux Belges et des touristes du monde entier visitent encore aujourd'hui le mémorial et sa chapelle. Un petit téléphérique conduit au célèbre Seebodenalp de Küssnacht.

Weggis
Le célèbre écrivain et voyageur Mark Twain, écrivit en 1897 que Weggis était l'endroit le plus charmant qu'il ait jamais visité. La station thermale et touristique, connue pour la douceur de son climat, est souvent comparée à la Côte d'Azur. Weggis a toujours été pionnière en matière de tourisme. Ce fut la première localité suisse, en 1919, à ouvrir un lido où hommes et femmes ne se baignaient plus séparément.

Le Rigi
Trois raisons poussent les touristes à prendre le téléphérique au départ de Weggis, ou les trains à crémaillère depuis Vitznau et Goldau: la vue exceptionnelle sur le panorama des Alpes; les 13 lacs et la vue sur le plateau central jusqu'au sud de l'Allemagne et sur l'Alsace; les activités sportives dans un environnement d'une grande pureté et d'un calme absolu.

Vitznau
Ce lieu populaire de vacances et d'excursions est situé dans une baie paradisiaque du lac des Quatre-Cantons et il est inextricablement lié au Rigi. À la fin du XIXe siècle, une page d'histoire technique fut écrite à Vitznau, lorsqu'en mai 1871, le premier train de montagne à crémaillère d'Europe put, en crachant de la vapeur, triompher du Rigi.

Brunnen
La station touristique, située au bord du lac directement face à Rütli et Schillerstein est si l'on en croit Schiller, le pays natal de Guillaume Tell. L'ouvrage collectif des cantons «la Voie suisse» qui mène au lac d'Uri, contribue à attirer nombre de visiteurs.

Schwyz
C'est à cette petite ville, chef-lieu de l'un des trois cantons fondateurs, que la Suisse doit, non seulement son nom, mais aussi son drapeau. C'est à Schwyz, au Musée des Chartes fédérales, que les documents les plus importants de la Suisse primitive sont conservés.

1 | Kloster Einsiedeln – Einsiedeln Abbey – Couvent d'Einsiedeln

Einsiedeln Obersee Walensee

Einsiedeln

Ein imposanter und das Ortsbild beherrschender Bau ist die barocke Klosteranlage aus dem 18. Jahrhundert. Einsiedeln ist unbestritten der wichtigste Wallfahrtsort der Schweiz. Mit seiner Schwarzen Madonna zieht er täglich Hunderte von Pilgern an. Hier führt auch der Jakobsweg vom Bodensee nach Genf vorbei. Das voralpine Hochtal wird geprägt von vielen Mooren und dem Sihlsee, welcher der grösste Stausee der Schweiz ist.

Lachen

Im Laufe von Jahrhunderten entstand die Perle am Obersee um den Marktplatz gleich hinter dem Hafen. Lachen war lange Zeit Umschlagplatz für Waren ins Glarnerland und Richtung Bündner Alpenpässe. Schon 1875 kam mit der Nordostbahn der öffentliche Verkehr. Ständig brauchte und braucht Lachen neuen Wohnraum. Die Gemeinde entwickelte sich prächtig, auch touristisch. Heute wohnen 8000 Menschen hier. Auch der bekannten Gastronomie wegen kommen viele Auswärtige nach Lachen.

Glarnerland

Hier, etwas abseits der Verkehrsströme, ist die Hektik der urbanen Zentren noch nicht angekommen. Seit Januar 2011 gibt es nur noch drei Glarner Gemeinden. Obwohl manchmal etwas verkannt und wegen des bekannten Glarner Schabzigers auch Zigerschlitz genannt, sind die Menschen hier äusserst fortschrittlich und innovativ. Aktive Ferien im Sommer und im Winter sind in den Hauptdestinationen Kerenzerberg (Filzbach), im autofreien Braunwald und in Elm möglich.

Rapperswil-Jona

Rosen zieren das Wappen von Rapperswil, auf öffentlichen Plätzen und in drei Rosengärten blühen die Königinnen der Blumen in unzähligen Sorten und Farben. Besonders sehenswert sind die Altstadt, das Schloss mit dem Schlosshügel, das Circus-Museum und der bekannte Kinderzoo Knie.

Einsiedeln Obersee Walensee

Einsiedeln

The townscape is dominated by the impressive structure of the 18th century Baroque abbey. Without a doubt, Einsiedeln is the most important pilgrimage site in Switzerland. Its Black Madonna attracts hundreds of pilgrims every year. The Camino de Santiago from Lake Constance also leads past here on the way to Geneva. The high valley of the Alpine foothills is shaped by the many moors and Lake Sihl, the largest artificial lake in Switzerland.

Lachen

Over the centuries, this pearl on the Obersee grew from the marketplace just behind the harbor. Lachen was long a transshipment center for goods into Glarus and toward the Alpine passes of Graubünden. Public transport arrived with the Northeastern Railway in 1875. Lachen has always been in need of new living space. The municipality thrived, also in terms of tourism. Today, 8,000 people live here. Many out-of-towners also come to Lachen for its famous gastronomy.

2 | Braunwald 3 | Rapperswil 4 | Lachen 5 | Kerenzerberg, Walensee, Leistkamm, Amden, Churfirsten

Glarus region

Here, somewhat removed from the flows of traffic, the chaos of the urban centers has not yet arrived. Since January 2011, there are only three municipalities in Glarus. Although it is often unrecognized and also called Zigerschlitz because of the famous Schabziger cheese, the people here are incredible progressive and innovative. Active vacations in the summer and winter are possible in the prime destinations of Kerenzerberg (Filzbach), in car-free Braunwald and Elm.

Rapperswil-Jona

Roses decorate the Rapperswil coat of arms, and these queens of the flower kingdom grow in countless species and colors in the public spaces and in three rose gardens. Especially worth seeing are the old town, the castle on the hill, the Circus Museum and the famous Knie Kinderzoo (children's zoo).

Einsiedeln
L'Obersee
Le Walensee

Einsiedeln

Le site est dominé par l'édifice imposant de l'abbaye baroque construite au XVIIIe siècle. Einsiedeln est incontestablement le lieu de pèlerinage le plus important de Suisse. Sa Vierge Noire attire chaque jour des centaines de pèlerins. Einsiedeln se trouve sur le Chemin de St-Jacques-de-Compostelle (Via Jacobi) qui, du lac de Constance, va jusqu'à Genève. La haute vallée préalpine est caractérisée par de nombreux marais et par le lac de Sihl, qui est le plus grand barrage de Suisse.

Lachen

Ce joyau de l'Obersee s'est développé au cours des siècles autour de sa place du marché, juste derrière le port. Lachen a longtemps été un lieu de transit des marchandises vers le canton de Glaris et en direction des cols alpins des Grisons. Les transports publics commencèrent, en 1875 déjà, à se développer grâce aux chemins de fer du Nord-Est. Depuis, Lachen est constamment en quête de nouveaux espaces d'habitations. Aussi la commune est-elle merveilleusement bien développée, grâce au tourisme. Ce sont 8000 personnes qui y vivent de nos jours. Beaucoup d'étrangers y viennent également pour sa gastronomie reconnue.

Pays Glaronnais

Un peu à l'écart des flux de circulation, l'agitation des grandes villes n'a pas encore contaminé le pays glaronnais. La région est trop souvent sous-estimée, ses habitants étant exceptionnellement avant-gardistes et novateurs. Depuis janvier 2011, il ne reste plus que trois communes glaronnaises. La contrée est appelée «Zigerschlitz» à cause du schabziger glaronnais. En été comme en hiver on pourra passer de belles vacances actives principalement à Kerenzerberg (Filzbach), à Braunwald et à Elm.

Rapperswil-Jona

Pas étonnant que les roses ornent le blason de la ville: à Rapperswil, ces merveilles de toute couleur embellissent les places publiques. Un nombre infini de variétés de la reine des fleurs sont cultivées dans trois roseraies. Il ne faut surtout pas manquer de faire une visite de la Vieille Ville, du château sur sa colline, du musée du cirque et du célèbre zoo pour enfants de Knie.

1 | Kartause Ittingen – Ittingen Charterhouse – Chartreuse d'Ittingen

Toggenburg Wil | Weinfelden Frauenfeld

Toggenburg

Erwähnt werden sollen der beliebte Sagenweg im Toggenburg, der Neckiweg, die betreuten Kinderprogramme mit Besuchen auf dem Bauernhof, die Reitmöglichkeiten für Gross und Klein, das Campieren auf der Alp. In Neu St. Johann können wir einen Abstecher auf die Schwägalp machen, von wo uns eine beeindruckende Luftseilbahn zuoberst auf den Säntis bringt. Eigentlich ist der Säntis auch ein Toggenburger, geht doch die Kantonsgrenze zwischen Appenzell und St. Gallen durch das Gipfelrestaurant.

Wil

Wil ist in erster Linie das Wirtschaftszentrum des unteren Toggenburgs und des Fürstenlandes. Die Wiler Altstadt gilt als die besterhaltene der Ostschweiz. Schöne Riegelhäuser, Arkaden, malerische Gassen und Plätze machen den Kern der Stadt zu einem Bijou. Im alten «Hof zu Wil» hatten während 500 Jahren die St. Galler Fürstäbte ihre Residenz.

Weinfelden

Weinfelden möchte wie viele andere wachsende Orte in der Schweiz eine Gemeinde bleiben. Trotz vieler neuer Mehrfamilienhäuser und neuer moderner Fabriken hat die kleine Stadt wenig vom ländlichen Charakter eingebüsst. In der Stadt müssen keine Parks angelegt werden. Weinfelden befindet sich in der Grünzone.

Kartause Ittingen

Die Frauenfelder mögen es uns nicht verübeln, dass nicht die Kantonshauptstadt, sondern der nahe gelegene Ort Warth die Hauptrolle spielen darf. Die Kartause Ittingen, der Ort der Begegnung und der Kultur, ist ein ehemaliges Kartäuser Kloster mit einer 800 Jahre alten Geschichte. Die Kartause zählt nicht nur zu den wichtigsten Kulturdenkmälern der Ostschweiz, sondern ist seit der Restaurierung und der Wiedereröffnung im Jahre 1982 eines der interessantesten Kultur- und Begegnungszentren der Schweiz. Zur Kartause gehören das Kunstmuseum Thurgau, ein Hotel-/Gastrobetrieb, ein Seminarzentrum, ein Gutsbetrieb, ein Rebberg sowie wunderbare Kräuter-, Heilpflanzen- und Rosengärten.

Toggenburg Wil | Weinfelden Frauenfeld

Toggenburg

The popular Story Trail (Sagenweg), the Neckiweg, the supervised children's programs with visits to the farm, horseback riding for the young and old, camping on the Alp – those are all noteworthy activities in Toggenburg. From Neu St. Johann, we make the trip to Schwägalp and from there proceed to the very top of the Säntis with the impressive aerial cable car. The Säntis can be considered as a Toggenburg mountain too, because the border between Appenzell and St. Gallen runs right through its summit restaurant.

Wil

Wil is first and foremost the economic center of lower Toggenburg and the Fürstenland. Wil boasts the best-preserved old town in all of Eastern Switzerland. Beautiful half-timbered houses, arcades, picturesque alleys and squares characterize this gem of a city. The prince abbots of St. Gallen resided in the old "Hof zu Wil" for 500 years.

2 | Alt St. Johann – Vieux St-Johann 3 | Altmann und Säntis – Altmann and Säntis – Altmann et Säntis 4 | Degersheim, Untertoggenburg
5 | Alpkäserei im Toggenburg – Alpine cheesemakers in Toggenburg – Fromagerie d'alpage à Toggenburg

Toggenburg Wil | Weinfelden Frauenfeld

Weinfelden

Like many other growing areas in Switzerland, Weinfelden would like to remain a municipality. Despite many new multi-family homes and new, modern factories, the small city has lost little of its country character. Since Weinfelden is in the green zone, there is no need to build additional parks in the city.

Ittingen Charterhouse

The people of Frauenfeld will probably agree with us for giving priority not to the cantonal capital, but to the nearby village of Warth. The Ittingen Charterhouse, meeting place and cultural center, is a former Carthusian abbey with an 800-year-old history. The Charterhouse is not only among Eastern Switzerland's most important cultural landmarks, but since its restoration and reopening in 1982, it has been one of the most interesting cultural and congressional centers in all of Switzerland. The Charterhouse includes the Kunstmuseum Thurgau, a hotel/restaurant, a seminar center, a large estate, a vineyard and wonderful herbs, medicinal plants and rose gardens.

Toggenburg

Impossible de ne pas mentionner le populaire sentier des légendes «Sagenweg» dans le Toggenburg; le chemin Neckiweg, les programmes organisées avec des visites à la ferme; la possibilité de faire de l'équitation pour petits et grands; le camping sur l'alpage. À Neu St-Johann, faisant un détour par la Schwägalp, on empruntera un téléphérique pour une impressionnante ascension au sommet du Säntis. Même si le Säntis est toggenbourgeois, la frontière entre Appenzell et St-Gall passe par le restaurant du sommet.

Wil

Wil est le principal centre économique de la région inférieure du Toggenbourg et de l'état princier. La Vieille Ville est réputée comme la mieux conservée de Suisse orientale. De belles maisons à colombages, des arcades, des rues et des places pittoresques font du cœur de la ville un véritable joyau. Les princes-abbés de St-Gall y établirent leur résidence pendant 500 ans, dans l'ancienne Cour de Wil.

Weinfelden

Weinfelden souhaite, comme de nombreuses localités en pleine expansion en Suisse, rester une commune autonome. Malgré l'extension des logements collectifs et l'implantation des nouvelles usines, la ville a su conserver un peu de son caractère rural. Il n'est pas utile d'y aménager un parc, Weinfelden étant située en zone verte.

La Chartreuse d'Ittingen

Nous espérons que les habitants de Frauenfeld ne nous en voudront pas, de ne pas nous attarder sur le chef lieu du canton, mais de privilégier Warth, un endroit situé tout près de là. La Chartreuse d'Ittingen, lieu d'ordre culturel et social, est un ancien monastère des Chartreux dont l'histoire remonte à 800 ans. La Chartreuse fait non seulement partie des monuments culturels les plus importants de Suisse orientale, mais c'est aussi, depuis sa restauration et sa réouverture en 1982, l'un des lieux de rencontres les plus actifs de Suisse Le Musée d'art de Thurgovie, un établissement hôtelier/restaurant, une salle de séminaires, un domaine agricole, un vignoble, une roseraie, ainsi qu'un merveilleux jardin des plantes aromatiques et médicinales en font également partie.

1 | Zürich - Zurich

Winterthur | Zürich

Winterthur

Zugegeben, die zweitgrösste Stadt des Kantons Zürich ist keine touristische Hochburg. Aber für Schweizreisende mehr als eine gute Adresse. Sie ist eine Schatzkammer für Kunst- und Kulturinteressierte jeglicher Couleur, für Schauspielfreunde und Fans von Kleinkunst und Comedy.

Sechzehn Museen, viele davon mit Weltruhm, haben Winterthur in die erste Liga der Kunst gebracht. Die pulsierende Altstadt spielt für die Freizeit die entscheidende Rolle. Hier hat man nie das Gefühl, in einem alten, verschlafenen Quartier zu sein. Das Sulzerareal hat sich vom Industriepark zur Eventbastion entwickelt, Europas grösster Trendsporthalle.

Zürich

Die Metropole der Schweiz (Hauptstadt ist Bern) kann sich in jeder Beziehung sehen lassen: Sie liegt am schönen Zürcher Seebecken, umgeben von bebauten Hügeln mit herrlicher Sicht in die Berge. In Zürich gibt es einladende Shopping-Meilen in einem gewachsenen Zentrum, ein pulsierendes, urbanes Leben mit einem grossen Freizeitangebot, ein grosses Kulturangebot. Rund 400 000 Menschen leben hier und es gibt 330 000 Arbeitsplätze.

Freizeitangebot, Kunst und Kultur

Zürich hat die höchste Clubdichte der Schweiz. Ob im legendären Kaufleuten, im Mascotte und seinen vielen Schwestern, in Zürich-West, in den Stadtkreisen 4 und 5, überall gibt es ein riesiges Angebot. Nach 23 Uhr geht es mit den Partys los und sie dauern bis in den frühen Morgen. Auch Wissensbegierige und Kunstfreunde kommen auf die Rechnung: 50 Museen kann man besuchen, wovon 14 sich der Kunst widmen. Das Landesmuseum beim Hauptbahnhof sollte jeder einmal besuchen: Man erfährt dort, was Schweizer Kulturgeschichte ist. Umfassend, eben die grösste Sammlung der Schweiz, wie alles in Zürich.

Winterthur | Zurich

Winterthur

Granted, the second-largest city in the canton of Zurich is no tourist hotspot. But for travelers in Switzerland, it is still a great location. It is a treasure trove for any art and culture enthusiasts, for friends of the theater and fans of craftwork and comedy.

With sixteen museums, many of them world-renowned, Winterthur has joined the premier ranks of art cities. The pulsating old town plays a deciding role in leisure activities and does not feel like an old, sleepy quarter at all. The Sulzer area has grown from an industrial park into an event bastion, Europe's largest hall for trend sports.

Zurich

The metropolis of Switzerland (the capital is Bern) is impressive in every regard: It sits on the beautiful Lake Zurich basin, surrounded by cultivated hills with a wonderful view of the mountains. In Zurich, there are inviting shopping strips in an extensive city center, vibrant urban life with an endless number of things to do, and a vast repertoire of culture. Around 400,000 people live here and there are 330,000 jobs.

2 | Sonnenberg, Blick auf Zürich – Sonnenberg, view over Zurich – Sonnenberg, vue sur Zurich 3 | Winterthur – Winterthour
4 | Winterthurer Altstadt – Winterthur old town – Vieille-Ville de Winterthour 5 | Flughafen Zürich – Zurich Airport – Aéroport de Zurich

Leisure, art and culture

Zurich has the highest density of clubs in Switzerland. From the legendary Kaufleuten to the Mascotte and its many affiliates, from the Zurich-West district to city districts 4 and 5 – the possibilities are endless. Parties start after 11 p.m. and they last until the early morning. Those eager to learn and fans of art will also be satisfied: the city hosts 50 museums, 14 of which are dedicated to the arts. The Landesmuseum (Swiss National Museum) near the main train station is highly recommended to visitors as a source for the cultural history of Switzerland. As the largest collection in Switzerland, it is just like everything else in Zurich: all-encompassing.

Winterthour | Zurich

Winterthour

Certes, la deuxième plus grande ville du canton de Zurich n'est pas un haut lieu touristique, bien que vraie une caverne d'Ali Baba pour les passionnés d'art et de culture en tout genre, les amateurs de spectacle et les fans de café-théâtre et de comédie. C'est donc plus qu'une bonne adresse pour eux. Seize musées, la plupart de renommée internationale, font que Winterthour est au premier plan de l'art et de la culture. La Vieille Ville dynamique joue un rôle crucial pour les loisirs. On est loin de se trouver là dans un quartier endormi. Zone industrielle à l'origine, Sulzerareal est une place riche en événements, en tant que plus grande salle d'Europe de sport tendance.

Zurich

Berne étant la capitale de la Suisse, Zurich, la métropole, est impressionnante à tous égards: elle est située sur le magnifique lac de Zurich entouré de collines cultivées, d'où la vue se perd sur les montagnes environnantes. Les rues commerçantes du centre développé sont accueillantes. Zurich bénéficie d'un beau dynamisme urbain, associé à une offre très étoffée d'activités culturelles et de loisirs. Des 400000 personnes qui y vivent, 330000 environ y travaillent.

Programme artistique, culturel et de loisir

Zurich a la plus forte densité de clubs de Suisse. Légendaires et nombreux sont les clubs, tant à la Mascotte qu'à Zurich-Ouest, dans les 4e et le 5e arrondissements. Le choix est très large. Les fêtes commencent après 23 heures, et durent jusqu'au petit matin. Les passionnés de savoir et les amateurs d'art y trouvent également leur compte: il y a 50 musées à visiter, dont 14 sont consacrés à l'art. Les touristes se doivent de visiter au moins une fois le Musée national à coté de la gare: ils y découvriront ce qu'est l'histoire culturelle de la Suisse. Complète, c'est tout simplement la plus grande collection de Suisse, à l'image de tout qu'on trouve à Zurich.

1 | Zug - Zoug

Zugersee
Sempachersee
Emmental

Zug

Wer von der Kyburgerstadt Zug spricht, denkt meist an tiefe Steuern und gute Voraussetzungen für internationale Firmen. Das Stadtbild wird geprägt von markanten Altstadtgebäuden und engen Gassen aus der Spätgotik. Und dies alles hautnah am Wasser. Vielfältig ist das Zuger Kulturleben. Gastronomisch lässt die alte und die neue Stadt kaum Wünsche offen.

Von Ost nach West

Wir verlassen in Gisikon die Autobahn, um «übers Land» nach Eschenbach und weiter durch das schöne Regionalstädtchen Hochdorf am Baldeggersee nach Sempach zu fahren. Das historische Städtli, wie die Einheimischen es nennen, und die aussergewöhnlich schöne Seeparkanlage sind ein Gesamtkunstwerk.

Sursee

Neben Luzern ist Sursee die zweite Metropole des Kantons Luzern. Sie liegt landschaftlich reizvoll am unteren Ende des Sempachersees, einem Naherholungsgebiet: Wanderwege, Strandbad und Seepromenade, Fahrradrouten, Spiel- und Sportanlagen bieten alles für Erholungssuchende und Aktive. In Sursee gibt es ein reiches Kulturleben mit Musik, Theater, Comedy, Kunst und Brauchtum. Der wohl bekannteste Brauch, die «Gansabhauet», findet an Martini statt. Junge Leute versuchen mit verbundenen Augen eine aufgehängte tote Gans mit einem einzigen Säbelhieb vom Seil zu holen.

Emmental

Jeremias Gotthelf, der grosse Denker und Dichter, ist omnipräsent. In Lützelflüh beispielsweise, wo er lange wirkte und schrieb – in Kirchen, wo er predigte, in der Kirche Würzbrunnen in Röthenbach, wo seine Romanfiguren heirateten – und in vielen Emmentaler Gaststätten (z. B. dem Chuderhüsi), wo seine Figuren Familienfeste feierten. Auch prägte er über Jahrhunderte die Emmentaler Küche, in der es oft Verbindungen zu Gotthelf gab und immer noch gibt. «Höger und Chräche», ja Hügel und Täler machen das Emmental aus. Eine Landschaft wie gemacht zum längeren Verweilen und zum Erholen von Körper, Seele und Geist.

Lake Zug
Lake Sempach
Emmental

Zug

The Kyburg city of Zug is often associated with low taxes and good conditions for international firms. The cityscape is shaped by distinctive old town buildings and narrow late-Gothic streets – and all of this close to the water. Zug's cultural life is diverse. The old and new town hardly leave any room for improvement in terms of cuisine.

From east to west

We leave the highway in Gisikon to take a drive in the countryside to Eschenbach, then to the beautiful regional town Hochdorf at Baldegg Lake and further on toward Sempach. The historic town, or Städtli, as the locals call it, and the extraordinary lake park are a perfectly beautiful synthesis.

Sursee

Besides Lucerne, Sursee is the second metropolis of the canton of Lucerne. It is located in a tantalizing landscape on the lower edge of Lake Sempach with a large recreation area nearby: Hiking trails, a lido and lakeside promenade, bicycle routes, playgrounds and sports fields offer a wide

2 | Lueg im Emmental – Lueg in Emmental – Lueg dans l'Emmental 3 | Sempachersee
4 | Weihnachtsmarkt, Willisau – Christmas market, Willisau – Marché de Noël, Willisau 5 | Gansabhauet, Sursee – «Gansabhauet», Sursee

array of relaxing and energizing activities. There is a rich cultural life in Sursee with music, theater, comedy, art and shopping. The most well-known custom, the "Gansabhauet", takes place on St. Martin's Day. While wearing blindfolds, young people use a saber to try to knock a dead goose down from a rope.

Emmental

Jeremias Gotthelf, the great thinker and poet, is omnipresent in this area – in Lützelflüh for instance, where he long worked and wrote; in the churches where he used to preach; in the Würzbrunnen Church in Röthenbach, where his novel characters got married; and in many Emmental inns (e.g. the Chuderhüsi), where his characters celebrated family get-togethers. Over the centuries, he also shaped the cuisine of the Emmental, which has often demonstrated connections to Gotthelf. "Höger und Chräche", or hills and valleys, make up the Emmental. A landscape essentially made for longer stays and for relaxing the body, mind and spirit.

Lac de Zoug Lac de Sempach Emmental

Zoug

Quand on parle de la ville du Kyburg Zoug, on pense généralement aux impôts modérés et aux conditions avantageuses accordées aux entreprises internationales. Le paysage urbain est caractérisé par les remarquables édifices de la Vieille Ville et d'étroites ruelles de la période du gothique tardif. Et tout cela au bord de l'eau. La vie culturelle est variée. Et dans les restaurants de l'ancienne et de la Nouvelle Ville, il y en a pour tous les goûts.

De l'est à l'ouest

En quittant l'autoroute à Gisikon pour prendre les routes de campagnes, on atteint Eschenbach puis Sempach, en passant par la jolie bourgade de Hochdorf, au bord du lac de Baldegg. Appelée «Städli» par ses habitants, la petite cité historique et son parc magnifique sont un véritable joyau.

Sursee

Avec Lucerne, Sursee est la deuxième métropole du canton. Située magnifiquement, elle est très attrayante avec sa zone de loisirs à l'extrémité inférieure du lac de Sempach : les sentiers de randonnée, la plage et la promenade du lac, les pistes cyclables, les terrains de jeux et les installations sportives offrent tout ce que recherchent les amateurs et les vacanciers. Il y a, à Sursee, une riche vie culturelle offrant musique, théâtre, comédies, arts et folklore. L'attraction la plus célèbre, le «Gansabhauet», a lieu sur la place Martini. Les jeunes, les yeux bandés, tentent de décrocher une oie morte suspendue à une corde en donnant un seul coup d'épée.

Emmental

Les souvenirs du grand penseur et poète Jeremias Gotthelf sont omniprésents en Emmental. À Lützelflüh par exemple, où il a longtemps écrit et travaillé ; dans les églises où il prêchait, de Würzbrunnen à Röthenbach, par exemple, où ses personnages fictifs se sont mariés ; et dans de nombreuses auberges emmantaloises (Chuderhüsi par ex.) où ses personnages célèbraient les fêtes familiales. Jeremias Gotthelf a durablement pendant des siècles influencé la cuisine emmentaloise, puisque l'on s'y réfère encore aujourd'hui. Les montagnes environnantes, les vallées et les collines sont l'âme de l'Emmental. Un paysage qui semble avoir été créé pour s'y attarder, pour s'y apaiser l'esprit, le corps et l'âme.

1 | Bern – Berne

Burgdorf | Bern

Burgdorf

Die Stadt Burgdorf, die mitten im Grünen steht und von Hügeln und imposanten Felsen umgeben ist, war und bleibt städtebaulich ein Bijou. Sie kann sich rühmen, eine beispielhafte mittelalterliche Altstadt zu besitzen. Die belebten Gassen mit den spätbarocken Patrizierhäusern und der imposanten 800-jährigen Schlossanlage ziehen viele Besucher an. Eindrücklich ist die Teilung in eine Ober- und Unterstadt: oben, zwischen Schloss und Kirchenhügel, die feudale Wohngegend. Am Fusse des Schlosshügels die Unterstadt mit dem Kornhausquartier, welche das Gewerbe beherbergte. Burdorf ist auch Industrie- und Bildungsstandort.

Bern

Unbestritten den schönsten Ausblick über die von der Aare wie umarmt umflossene Zähringer-Stadt bietet der erhöhte Rosengarten direkt über dem neuen Bärenpark (früher Bärengraben) oder die 101 Meter hohe Plattform des besteigbaren Münsterturms. Auf Letzterer kann man die steil abfallenden Schanzen und Bastionen hinab zur Aare am besten erkennen. Beeindruckend ist das alte Stadtquartier Matte, direkt an den Fluss gebaut und von diesem schon unzählige Male gebeutelt.

Aare

In den wärmeren Monaten macht sich Jung und Alt zur Aare auf, um im Marzili zu baden oder sich von der sauberen Aare mit Blick aufs Bundeshaus treiben zu lassen. Ebenfalls am Wasser liegen der Tierpark Dählhölzli und der Botanische Garten.

Arbeiten, studieren, künstlerisches Schaffen

Bern verfügt über rund 150 000 Arbeitsplätze, viele davon in den Verwaltungen von Bund, SBB, Post, Swisscom, in Verbänden und Genossenschaften und in der Bildung (alle Stufen bis zur Universität). Die 1834 gegründete Berner Universität liegt mit acht Fakultäten und 13 000 Studierenden im Mittelfeld der Schweizer Hochschulen. Zu den wichtigsten Museen für Kunst und Wissenschaft gehören das Historische Museum, das Kunstmuseum, das Alpine Museum und das Zentrum Paul Klee.

Burgdorf | Bern

Burgdorf

The city of Burgdorf, amidst a sea of green and surrounded by hills and towering cliffs, has always been an architectural gem. It shows off an exemplary medieval old town. The lively streets, late-Baroque patrician houses and the imposing 800-year-old castle attract many visitors. The division into upper and lower city is quite impressive: the upper city, between castle and church hill, is the upscale residential area. The lower city lies at the foot of the castle hill and includes the Granary District, the former home of the city's trade and industry. Burgdorf is also a center for industry and education.

Bern

The Zähringer city is seemingly "embraced" by the river Aare that flows around it. The elevated rose garden directly above the new Bear Park (formerly Bärengraben) offers by far the most beautiful view of the city; alternatively, try the cathedral platform at an elevation of 101 meters, which offers an even better impression of the steeply falling dips and bastions down to the Aare. The old city quarter Matte, built by the river and buffeted by it countless times, is impressive.

2 | Aare, bei Muri-Bern – Aare, near Muri-Bern – L'Aar, à Muri près de Berne 3 | Schloss Burgdorf – Burgdorf Castle – Château de Berthoud
4 | Bern, Altstadt – Bern, old town – Berne, Vieille Ville 5 | Bern, Bärenpark – Bern, Bear Park – Berne, Parc aux ours

Aare

In the warmer months, residents of all ages make their way to the Aare to swim in the Marzili river pool or to just float in the clean Aare with a view of the federal parliament building. The Dählhölzli Zoo and the Botanical Garden are also right there by the water.

Working, studying, artistic creation

Bern boasts around 150,000 jobs, many of which are in federal administration, with the SBB (Swiss federal railways), post office, Swisscom, associations and societies, and in education (all levels up to university). The University of Bern, founded in 1834, is a mid-sized Swiss university with eight faculties and 13,000 students. Among the most important museums for art and science are the History Museum, the Kunstmuseum (art museum), the Alpine Museum and the Zentrum Paul Klee.

Berthoud | Berne

Berthoud

La ville de Berthoud, entourée de verdure, de collines et d'imposantes falaises, est restée jusqu'à aujourd'hui un joyau architectural. Elle peut s'enorgueillir de sa Vieille Ville typiquement médiévale. Les maisons patriciennes de style baroque tardif des rues animées et l'imposant château vieux de 800 ans attirent de nombreux visiteurs. La différence entre ville supérieure et inférieure est marquante : en haut, entre le château et la colline de l'église, le quartier résidentiel féodal. Au pied, la ville basse avec le quartier de la halle au blé, qui abritait les artisans.

Berne

Les meilleures perspectives sur la ville des Zähringen enserrée par l'Aar sont incontestablement celles que l'on a du Rosengarten surplombant le Parc aux ours (anciennement, Fosse aux ours), ou encore de la plateforme haute de 101 m de la tour de la cathédrale. De celle-ci, on aperçoit aussi le mieux les remparts et bastions descendant à pic vers l'Aar. Le magnifique vieux quartier de la Matte du bord de l'Aar, malmené un nombre incalculable de fois par les crues du fleuve, est impressionnant.

L'Aar

Au plus chaud de l'été, jeunes et moins jeunes vont se baigner au Marzilli et se laissent porter par les eaux propres de l'Aar tout en jouissant d'un beau coup d'œil sur le Palais fédéral. Le parc animalier et le jardin botanique sont également situés au bord de l'eau.

Emploi, études, arts

Les 150000 personnes employées à Berne travaillent en grande partie dans l'administration du gouvernement fédéral, au CFF, à la poste, à Swisscom, dans des associations et des coopératives et dans l'éducation (tous niveaux jusqu'à l'université). L'Université de Berne, fondée en 1834, se situe avec ses huit facultés et 13000 étudiants, dans la moyenne des universités suisses. Les musées d'histoire, des Beaux-arts, le musée Alpin et le centre Paul Klee comptent parmi les fleurons des arts et des sciences.

1 | Château de Chillon – Chillon Castle

Murten | Fribourg Vevey | Montreux

Murten

Dank der schönen, leicht erhöhten Lage am Südufer des Murtensees hat sich die 800 Jahre alte Zähringer-Stadt an der Grenze zur Romandie zu einem beliebten Ausflugsziel entwickelt. Die Seepromenade, die von Murten bis zum Ende des Nachbardorfes Muntelier geht, ist eine Flaniermeile sondergleichen. Sie bot den Besuchern der Expo im Jahre 2002 eine Naturkulisse mit weltrekordverdächtigen Sonnenuntergängen. Wer mehr über Murten erfahren möchte, besucht das Museum. Hier sind 6000 Jahre Geschichte dokumentiert.

Fribourg

Viele Deutschsprachige haben Berührungsängste, weil man in der zweisprachigen Hauptstadt des Kantons Fribourg praktisch nur französisch angesprochen wird. Dabei ist Freiburg (Schwesterstadt von Freiburg im Breisgau) aus städtebaulicher Sicht eine Perle. Auf drei Seiten wird der Felsvorsprung, auf dem die Stadt erbaut ist, von der Saane/Sarine umflossen. Das Mittelalter ist hier sehr lebendig: mehr als 200 gotische Fassaden, schöne Brunnen und die Kathedrale St. Nicolas. Diese hat viel bewunderte Glasfenster und einen 75 Meter hohen Turm, von dem aus man einen guten Überblick hat. Die pulsierende Stadt wirkt international, dies schon wegen den vielen Studenten aus allen Herren Länder, die an der Universität immatrikuliert sind.

Vevey

Vevey war schon Ende des 19. Jahrhunderts ein «nobler» Ferienort, als die Stadt an der welschen Riviera die erste Hochblüte mit der Belle Époque erlebte. Gut präsentierende Hotels und eine mit Palmen und Blumen verschönerte Seepromenade erinnern noch heute an diese Zeit. Der berühmteste Einwohner Veveys war aber zweifellos der Komiker Charlie Chaplin, der hier 25 Jahre lebte und am Quai ein Denkmal bekam.

Montreux

Wegen des sehr milden Klimas wird Montreux oft Hauptstadt der Waadtländer Riviera genannt. Hier gedeihen auch Pinien, Zypressen und Palmen. Die Seepromenade führt von Vevey zum Schloss Chillon. Vieux Montreux, die kleine Altstadt, residiert für einmal nicht am Ufer, sondern hoch oben am Berg. Man muss sie unbedingt besuchen.

Murten | Fribourg Vevey | Montreux

Murten

Thanks to its beautiful, slightly elevated position on the southern bank of Lake Morat, the 800-year-old Zähringer city on the border to the Romandie has become a popular vacation spot. The lake promenade, which runs from Murten to the end of the neighboring village of Muntelier, is incredibly charming. During the Expo in 2002, it offered a natural backdrop with splendid views of sunsets. The museum documents 6,000 years of the city and is a great place for anybody wanting to learn more about Murten.

Fribourg

Many German-speakers are a little intimidated by the capital of the canton of Fribourg, since – though officially bilingual – French is the most spoken language by its inhabitants. From an architectural standpoint, Fribourg (sister city to Freiburg im Breisgau) is a gem. The city is built on a hill that is surrounded by the Saane/Sarine on three sides. The Middle Ages are still very much alive here, with over 200 Gothic facades, stunning fountains and St. Nicolas Cathedral. The cathedral has many marvel-

2 | Vevey 3 | Quai Montreux – Quai de Montreux 4 | Fribourg 5 | Bad Muntelier, Murtensee

ous glass windows and a 75-meter-high tower that offers a good view of the area. The animated city feels international, especially because of the many students from countries all around the world who attend the university.

Vevey

By the late 19th century, Vevey was already a "noble" resort town. The city on the Swiss French Riviera experienced the first high bloom with the Belle Époque. Attractive hotels and a lake promenade with palm trees and flowers are still reminiscent of that time. Without a doubt, the most famous resident of Vevey was the comedian Charlie Chaplin, who lived there for 25 years and had a memorial by the quay dedicated to him.

Montreux

Because of the very mild climate, Montreux is often deemed the capital of the Vaud Riviera. Pines, cypresses and palm trees also flourish here. The lake promenade leads from Vevey to Chillon Castle. Vieux Montreux, the small old town, is not down by the lakeshore, but high up on the mountain. It is definitely worth a visit.

Morat | Fribourg Vevey | Montreux

Morat

Vieille de 800 ans, la ville des Zähringen est devenue, de par son emplacement privilégié au-dessus des rives sud du lac de Morat à la frontière de la Suisse romande, une destination touristique populaire. La promenade du lac jusqu'à Montilier, le village voisin, est un lieu de flânerie sans égal. Lors de l'Expo 2002, des couchers de soleil exceptionnels ont battu des records d'affluence, offrant un spectacle supplémentaire aux visiteurs. Pour en savoir plus sur Morat, une visite s'impose au musée, qui retrace 6000 ans d'histoire.

Fribourg

Quoique capitale d'un canton bilingue, on ne parle pratiquement que français à Fribourg, aussi beaucoup de germanophones ont-ils quelque réticence à s'y arrêter. Ceci dit, Fribourg (ville «sœur» de Freiburg im Breisgau) est une perle architecturale. Elle est bordée par la Sarine (Saane) sur trois des flancs de la falaise où la ville est construite. De nos jours, le Moyen Âge est encore très présent, avec plus de 200 façades gothiques, de magnifiques fontaines et la cathédrale St-Nicolas, ses vitraux et son clocher de 75 mètres, d'où la vue est très imprenable. La ville est d'autant plus animée que son université attire des étudiants venus des quatre coins du monde. Aussi, Fribourg est-elle une ville à caractère international.

Vevey

A la fin du XIXe siècle déjà, Vevey était une station mondaine et huppée. La ville de la Riviera romande a connu sa première apogée à la Belle Époque, avec ses hôtels somptueux et sa promenade du lac embellie par les palmiers et les massifs floraux. Le plus célèbre résident de Vevey fut sans aucun doute le comédien Charlie Chaplin, qui y vécut 25 ans. Il est immortalisé par un monument sur le quai.

Montreux

En raison du climat très doux, Montreux est souvent appelée la capitale de la Riviera vaudoise. Les pins, cyprès et palmiers y poussent d'ailleurs très bien. La promenade du lac mène de Vevey au château de Chillon. Le Vieux Montreux est un petit centre historique qui, c'est rare, n'a pas été bâti sur la rive, mais tout en haut de la montagne. Il faut le visiter absolument.

1 | Lausanne

Von Vevey nach Genève

Lavaux
Das Lavaux ist mit 800 ha Rebstöcken das grösste zusammenhängende Rebbaugebiet der Schweiz. Die Weine haben klingende Namen: Epesses, St. Saphorin, Dézaley, Grandvaux, Lutry und einige mehr. Auf dem «Balcon du Léman», damit ist das hoch gelegene Chexbres gemeint, hat man einen überwältigenden Blick auf die endlosen, wie grafische Figuren verlaufenden Weinberge, den See und die Alpen.

Lausanne
Die Stadt fühlt sich nicht nur gross an, sie ist es auch. Der Eindruck wird noch verstärkt, weil sie fast durchwegs am Hang gebaut wurde. Steile Strässchen und Treppen lassen alles kleinstädtischer wirken. Die Altstadt wird von der Kathedrale Notre Dame dominiert, die als wichtigstes frühgotisches Werk in der Romandie gilt. Das Seeufer mit Bädern, Bootshafen, Campingplatz und Spielwiesen ist Erholungszone.

Morges
Wir sind in der Region «La Côte», einem weiteren grossen Weinbaugebiet des Waadtlandes. Es reicht von Morges bis Nyon. Morges ist zweifellos die Weinhauptstadt, in der das «Geschäft» gemacht wird. Die sympathischen Kleinstädtchen und Weindörfer Aubonne, Rolle, Vufflens-le-Château, Féchy, Vinzel, Luins, St. Prex und St. Sulpice sind für La-Côte-Reisende Pflichtprogramm.

Nyon
Unter den vielen schmucken Kleinstädten zwischen Genf und Lausanne, alle am Seeufer, teilweise auf vorgelagerten kleinen Halbinseln, ist Nyon die grösste unter den kleinen. Die Grafen von Savoyen hatten oberhalb der Altstadt ein mächtiges Schloss erbaut, das von fünf Türmen überragt wird. Heute beherbergt es das Museum für Geschichte und Porzellan. Seit 1995 ist Nyon der Sitz des Europäischen Fussballverbandes.

Genève
Die Rhonestadt mit ihrer humanitären Tradition bietet der UNO, dem IKRK und weiteren internationalen Organisationen eine Heimat. Internationaler könnte eine Schweizer Stadt nicht sein. Genf hat ein besonderes Flair, ist dem Schönen und dem Genuss zugetan. Das spürt man am See, beim Jet d'Eau, der das Wasser 140 Meter hoch in den Himmel spritzt, in den Parks und in der belebten Altstadt.

From Vevey to Geneva

Lavaux
With 800 hectares of vines, Lavaux is the largest vineyard in Switzerland. The names of the wines are enticing: Epesses, St. Saphorin, Dézaley, Grandvaux, Lutry, and several more. On the "Balcon du Léman", or the highly elevated Chexbres, we are granted an overwhelming view of the endless hills of the vineyard, the lake and the Alps.

Lausanne
The city not only feels large – it actually is. The fact that it was built on a hillside makes it appears even larger. Steep alleys and stairways give everything a more small-town feel. The old town is dominated by the Notre Dame Cathedral, considered the most important early-Gothic work in the Romandie (French-speaking part of Switzerland). The lakeshore with spas, a marina, a campsite and playgrounds is a recreational area.

Morges
We are in the "La Côte", region, another large wine-making area in Vaud. It spans from Morges to Nyon. Without a doubt,

2 | Nyon 3 | St. Saphorin (Lavaux) – St-Saphorin (Lavaux) 4 | Morges 5 | Jet d'Eau, Genève – Jet d'Eau fountain, Geneva

Morges is a lucrative wine capital. The cozy little towns and wine-making villages of Aubonne, Rolle, Vufflens-le-Château, Féchy, Vinzel, Luins, St. Prex and St. Sulpice are must-sees for the La Côte traveler.

Nyon

Among the many neat villages between Geneva and Lausanne, all on the lakeshore and some on small offshore peninsulas, Nyon is the largest of the small towns. The Counts of Savoy constructed a mighty castle above the old town, dominated by five towers. Today, it houses the Museum for History and Porcelain. Since 1995, Nyon has been the headquarters of the Union of European Football Associations.

Geneva

The city on the Rhone has a long humanitarian tradition and is home to the UNO, ICRC, and many other international organizations. Geneva could not possibly be more international. The city has a special flair and is devoted to beauty and enjoyment. This is most apparent by the lake, by the Jet d'Eau, the large fountain that sprays water 140 meters up into the air, in the parks, and in the animated old town.

De Vevey à Genève

Lavaux

Lavaux, riche de ses 800 hectares de vignes, est la plus grande région viticole de Suisse. Les vins ont des noms célèbres: Epesses, St-Saphorin, Dézaley, Grandvaux, Lutry et bien d'autres. Au-dessus, Chexbres, que l'on appelle fréquemment le «Balcon du Léman», attire de nombreux touristes grâce à sa situation exceptionnelle, d'où la vue sur les vignobles et la dentelle des Alpes est imprenable.

Lausanne

La ville ne donne pas seulement l'impression d'être grande, elle l'est vraiment. Cette impression est peut-être renforcée par les constructions qui s'étagent sur la colline. En revanche, les petites ruelles en pente et des escaliers donnent une impression de petite ville. Le centre historique est dominé par la cathédrale Notre-Dame, le plus important édifice gothique primitif de Suisse romande. Les rives du lac et leurs stations balnéaires, ports de plaisance, campings et aires de jeux proposent d'agréables zones de détente.

Morges

La grande région viticole vaudoise de «La Côte» s'étend de Morges à Nyon. Morges est sans aucun doute le haut lieu du commerce viticole. Bourgades et villages accueillants tels Aubonne, Rolle, Vufflens-le-Château, Féchy, Vinzel, Luins, St-Prex et St-Sulpice sont évidemment au programme des amateurs des vins de «La Côte».

Nyon

Nyon est la plus importante des nombreuses petites cités pittoresques, toutes situées entre Genève et Lausanne sur les bords du lac, et parfois sur de petites presqu'îles en amont de celui-ci. Les comtes de Savoie firent construire un château fort dominé par cinq tours au-dessus de la Vieille Ville. Il abrite aujourd'hui le Musée d'histoire et de la porcelaine. Nyon est le siège de l'Association européenne de football depuis 1995.

Genève

Il n'existe pas de ville suisse plus internationale que cette cité du Rhône, avec sa tradition humanitaire qui a accueilli l'ONU, le CICR et tant d'autres organisations. Genève possède un charme particulier, avec une tendance certaine pour ce qui est beau et agréable. C'est particulièrement visible dans les parcs, et les animations de la Vieille Ville. Et bien évidemment au bord du lac, où le célèbre jet d'eau s'élève à 140 mètres.

1 | Neuchâtel

Von Yverdon nach Delémont

Yverdon-les-Bains

Die schwefel- und magnesiumhaltigen Quellen des Thermalbades machten die Stadt zum beliebten Kur- und Heilort mit langer Tradition, wie die Ruinen römischer Thermen belegen. Das heutige Bad verbindet die wohltuenden Eigenschaften des Wassers mit modernem Bade- und Wellnessbereich. Dem Bad ist ein Hotel mit gehobenem Standard angegliedert. Auch kulturell hat der Ort sehr viel zu bieten: das «Haus von Anderswo», ein Science-Fiction-Museum mit wechselnden Ausstellungen, das «Modemuseum» und das Dokumentations- und Forschungszentrum «Pestalozzi».

Neuchâtel

Die Hauptstadt des gleichnamigen Kantons bietet für Kopf, Seele und Bauch alles, was es zum Leben braucht. Die Universität und das Bundesamt für Statistik für den Kopf, die vielen Kulturgüter, Museen und die schöne Landschaft für die Seele und das gute Essen und der Wein aus der Region für den Bauch. Wahrzeichen der Stadt sind das Schloss und die Kollegiatskirche, ein gotisches Gotteshaus aus dem Mittelalter.

Durch den Jura

Wir fahren durch das Val de Travers und über den Chasseral in den Berner Jura. Trotz der Uhrenhochburg hat das Val de Travers einen heimlichen Star: Absinth, auch die Grüne Fee genannt. Bis 2005 war die Herstellung verboten. Getrunken wurde er aber trotzdem. Jetzt erlebt das Allheilmittel eine wahre Renaissance. Im Berner Teil des Juras lernen wir St. Imier, Tavannes und Tramelan kennen, bevor wir unser nächstes Ziel, die Freiberge (Franches Montagnes) erreichen. Auf der leicht hügeligen Hochebene auf 1000 m gibt es unendlich grosse Weiden, auf denen die Freiberger Pferde nicht fehlen dürfen.

Delémont

Teile der ursprünglichen Stadtmauer und die zwei Stadttore des mittelalterlichen Zentrums von Delémont sind gut erhalten. Hier befinden sich auch das Parlamentsgebäude, das jurassische Geschichts- und Kunstmuseum und der fürstbischöfliche Palast. Der Kanton Jura ist wegen kulturell-politischer Spannungen entstanden, welche über Jahrzehnte die Entwicklung beeinflussten, bis schliesslich 1978 «le Jura» vom Schweizer Stimmvolk grünes Licht erhielt, die politische Zukunft selbst zu entscheiden.

From Yverdon to Delémont

Yverdon-les-Bains

The sulfur and magnesium rich springs of the thermal bath made the city a popular wellness and healing area with a long tradition, as the ruins of Roman baths can attest. Today's spa combines the healing features of the water with a modern pool and wellness facility. The spa is connected to a high-end hotel. The town has a lot to offer in terms of culture: the "House of Elsewhere", a science fiction museum with hanging exhibits, the "Modemuseum" (Fashion Museum), and the "Pestalozzi" documentation and research center.

Neuchâtel

The capital of the eponymous canton offers something to satisfy all your senses: The university and the Federal Statistical Office to stimulate the head; the many cultural goods, museums and beautiful landscape to soothe the soul; and the good food and regional wine to stir your appetite. The symbols of the city are the castle and the Collegiate Church, a Gothic house of worship from the Middle Ages.

2 | Romainmôtier 3 | Yverdon-les-Bains 4 | Saignelégier, Freiberge – Saignelégier, Franches-Montagnes 5 | St. Ursanne

D'Yverdon à Delémont

Through the Jura

We travel through the Val de Travers and over the Chasseral into the Bernese Jura. Along with it being the heartland of the watchmaking industry, Val de Travers also has a secret star: Absinthe, or the "green fairy". Until 2005, its production was prohibited. Of course it was consumed regardless. Today, the cure-all beverage is undergoing a true renaissance. In the Bernese section of the Jura, we become acquainted with St. Imier, Tavannes and Tramelan before reaching our next goal, the Franches-Montagnes. On the hilly high plateau at 1000 meters, you will find Freiberger horses on endlessly vast pastures.

Delémont

Part of the former city wall and the two city gates of the medieval center of Delémont are well preserved. Also in Delémont are the parliament building, the Musée jurassien d'art et d'histoire (Jurassic Art and History Museum) and the prince bishop's palace. The canton of Jura arose from cultural-political tensions that influenced its development for centuries, until 1978, when the Swiss electorate approved that "le Jura" was to decide its own political future.

Yverdon-les-Bains

Les sources de la station thermale riche en soufre et en magnésium ont fait de la ville une station thermale de longue tradition, comme l'attestent les ruines des thermes romains. La station actuelle exploite les propriétés bénéfiques de l'eau thermale. C'est le royaume du bien-être, rattaché à un hôtel de haut standing. La culture est présente avec le Musée d'Ailleurs (science-fiction) et ses expositions ponctuelles, le Musée de la Mode et le Centre de documentation et de recherche « Pestalozzi ».

Neuchâtel

La capitale du canton offre un éventail complet aux curieux et aux épicuriens: pour les scientifiques, l'Université et l'Office fédéral de la statistique, pour les grands esprits, les biens culturels et les musées; pour les rêveurs le magnifique paysage; et enfin, bon vin et bonne chère pour les gastronomes. Le château, la collégiale et la chapelle gothique du Moyen Âge font la fierté de la ville.

A travers le Jura

Le Val de Travers est l'un des fiefs de l'horlogerie et il a également sa grande spécialité : l'absinthe, dite aussi « fée verte ». Jusqu'en 2005, la production en a été interdite, ce qui n'empêchait pas les gens de pouvoir en boire quand même. Depuis sa légalisation, elle remporte un franc succès. En franchissant le col de Chasseral, on arrive à Saint-Imier, dans le Jura bernois, puis à Tavannes et à Tramelan. Aux Franches Montagnes, dans le canton du Jura, on découvre de vastes pâturages sur le plateau légèrement vallonné à plus de 1000 mètres d'altitude, où sont élevés les célèbres chevaux francs-montagnards.

Delémont

Une partie de l'ancien mur d'enceinte et les deux portes de la ville médiévale de Delémont sont bien conservées. On y trouve également le bâtiment du parlement, le musée jurassien d'art et d'histoire et le palais princier épiscopal. Le canton du Jura est né de tensions culturelles et politiques qui ont entravé son développement pendant des décennies, jusqu'au 24 septembre 1978, date à laquelle le peuple suisse approuvait la création d'un 26e canton. Depuis, le Jura s'est bien intégré au sein de la Confédération.

1 | Twann mit St. Petersinsel – Twann with St. Peter's Island – Douanne et l'île St-Pierre

Seeland

Biel

Biel/Bienne, nach der Hauptstadt zweitgrösste Gemeinde des Kantons Bern, ist der einzige Ort, in der die deutsche und französische Sprache gleichberechtigt sind. Die Einwohner sind meistens «bilingue» (zweisprachig). Biel hat zwei Gesichter: einerseits die intakte Altstadt auf einer leichten Anhöhe; anderseits entstand in der Ebene am See der moderne Teil der Stadt. Biel ist eine traditionsreiche Uhrenmetropole, in der immer noch die Musik gemacht wird: Rolex, Omega, Swatch und Tissot und viele andere bekannte Marken sind hier zu Hause.

Bielersee

Bieler-, Neuenburger- und Murtensee sind nicht nur landschaftlich eine Einheit, nein, auch Schiffe können dank eines Kanalsystems auf allen drei Gewässern kreuzen. Einen vertieften Einblick in das Leben der Winzer gibt eine Wanderung auf dem Rebenweg von Biel nach La Neuveville. Der Lehrpfad ist beschildert und dokumentiert die Geschichte und den Weinbau. In Ligerz (zwischen Biel und Twann) befindet sich zudem ein Rebbaumuseum.

La Neuveville

La Neuveville liegt wie Ligerz und Twann an der Bahnlinie Biel–Neuenburg. Besonders für Liebhaber des Juras ist es wichtig zu wissen, dass ab La Neuveville und Le Landeron Postautos zu den Gemeinden auf den Montagne de Diesse und auf den Twannberg fahren. Den Chasseral vor Augen, lässt sich von Nods und Diesse über Lamboing (wo ein Krimi von Dürrenmatt spielt) bequem bis Magglingen wandern, wo eine Standseilbahn wenig Trainierte nach Biel bringt. Die gut erhaltene historische Altstadt von La Neuveville, die einem Quadrat sehr nahe kommt, besitzt eine Stadtmauer mit sieben Türmen. Das Rathaus beherbergt das Historische Museum, in dem Pfahlbauten am See und die in der Schlacht von Murten (1476) erbeuteten Kanonen der Burgunder Themen sind.

Erlach

In Erlach besuchen wir Schloss und Städtchen. Das Schloss ist eines der ältesten im Kanton Bern. Es stammt aus dem 11. Jh. und diente der Sicherung der Strasse am oberen Seeende. Leider ist das Schloss nicht öffentlich, weil es privat genutzt wird. Im 13. Jh. entstand nach und nach die Altstadt, womit der Grundstein für das heutige Städtchen gelegt wurde.

Seeland

Biel

Biel/Bienne, the second-largest municipality in the canton of Bern after the capital, is the only place where the German and French languages are given equal treatment. The residents are usually "bilingue" (bilingual). Biel has two faces: On the one side is the old town on a slight hill; on the other side, the modern part of the city that arose on the plain by the lake. Biel is a traditional watchmaking metropolis and still a major player in the market: Rolex, Omega, Swatch, Tissot and many other well-known brands call Biel their home.

Lake Biel

Lake Biel, Lake Neuchâtel and Lake Morat do not just make for a scenic unit, but ships are also able to cruise across all three bodies of water due to a canal system. A hike along the Vineyard Trail from Biel to La Neuveville offers a deeper look into the life of the wine makers. The instructional path is signposted and documents both local history and wine industry. In Ligerz (between Biel and Twann) there is also a vineyard museum.

2 | Burgplatz, Biel – Castle square, Biel – La place du Bourg, Bienne 3 | Ligerz am Bielersee mit Kirche – Ligerz by Bielersee with church – Gléresse au bord du lac de Bienne et l'église 4 | La Neuveville 5 | Erlach mit St. Petersinsel – Erlach with St. Peter's Island – Cerlier et l'île St-Pierre

Le Seeland

La Neuveville

Like Ligerz and Twann, La Neuveville lies on the Biel–Neuchâtel railway line. For lovers of the Jura, it is good to know that postal buses drive from La Neuveville and Le Landeron to the villages on Montagne de Diesse and the Twannberg mountain. Facing the Chasseral, one can comfortably hike from Nods and Diesse through Lamboing (the setting for one of Dürrenmatt's crime novels) toward Magglingen, where a funicular to Biel is available to those who do not feel athletic enough to walk. Shaped like a square, the well-preserved historic old town of La Neuveville includes a city wall with seven towers. The city hall houses the History Museum, which focuses on lake dwellings and displays the Burgundian cannons captured during the Battle of Murten (1476).

Erlach

In Erlach, we visit the castle and town. The castle is one of the oldest in the canton of Bern. It was constructed in the 11th century and was supposed to defend the road from the upper end of the lake. Unfortunately, it is not open to visitors since it is privately owned. In the 13th century, the old town continued to grow, and the foundation for the current town was laid.

Bienne

Bienne, la deuxième plus grande ville du canton de Berne après la capitale, est le seul endroit où langue allemande et langue française sont quasi paritaires. Les habitants, pour la plupart, sont bilingues. Bienne a deux aspects : la Vieille Ville intacte sur une petite colline, et la partie moderne qui s'est développée au niveau du lac. Bienne est une métropole horlogère riche de ses traditions et de ses nombreuses entreprises : Rolex, Omega, Swatch et Tissot et bien d'autres marques célèbres y sont implantées.

Lac de Bienne

Grâce aux canaux qui relient les Trois-Lacs, (Bienne, Neuchâtel et Morat), on peut en faire le tour en une journée. Le sentier touristique partant du vignoble de Bienne à La Neuveville permet de découvrir de plus près le labeur quotidien des vignerons. Le sentier didactique donne des informations sur l'histoire et la viticulture. Un musée du vignoble se trouve à Gléresse (Ligerz) sur la rive du lac, entre Bienne et Douanne (Twann).

La Neuveville

La Neuveville, tout comme Gléresse et Douanne, est située sur la ligne Bienne-Neuchâtel. Il est bien pour les amoureux du Jura de savoir qu'il y a des cars postaux au départ de La Neuveville et du Landeron pour les communes situées sur la montagne de Diesse et de Douanne. On peut admirer le Chasseral tout en faisant une randonnée facile de Nods à Diesse via Lamboing (que Friedrich Dürenmatt avait choisi pour un roman policier) jusqu'à Macolin, départ du funiculaire qui descend sur Bienne. La Vieille Ville historique bien conservée de La Neuveville, bâtie en carré, est protégée par un mur d'enceinte et sept tours. L'hôtel de ville abrite le musée historique qui a pour thèmes les constructions palafittes du lac, et la bataille de Morat (1476) où les canons furent récupérés sur le terrain lors de la fuite des Bourguignons.

Cerlier

Datant du XIe siècle, le château est l'un des plus anciens du canton de Berne. Il assurait la surveillance de la route à l'extrémité supérieure du lac. Malheureusement, il ne peut être visité car il est utilisé à des fins privées. Au XIIIe siècle, la Vieille Ville s'est développée peu à peu, jusqu'à devenir la jolie cité qu'elle est d'aujourd'hui.

1 | Solothurn – Soleure 2 | Balsthal

Solothurn Oensingen Langenthal St. Urban | Zofingen

Solothurn

Die Kantonshauptstadt mit zahlreichen Attributen: Ambassadorenstadt, Sankt-Ursen-Stadt oder ganz einfach «schönste Barockstadt der Schweiz». Solothurn ist Bischofssitz des Bistums Basel, zu dem mehr als eine Million Katholiken gehören. Das Wahrzeichen Solothurns, die St. Ursenkathedrale, wacht über die angrenzende, gut erhaltene Altstadt. Das kulturelle Angebot lässt sich sehen: das Theater Biel-Solothurn, die Solothurner Filmtage, die Solothurner Literaturtage, die Kulturfabrik Kofmehl, das Kulturzentrum Altes Spital, um nur die wichtigsten zu nennen.

Oensingen

Das Zentrum das Kantons Solothurn. Die Neu-Bechburg, eine um 1250 erbaute Wehranlage, steht stolz über dem Dorf. Die Behörden sehen in ihr eine besondere Bedeutung: Weitblick und Entwicklungschancen. Und die hat Oensingen nicht zu knapp bekommen. Viele Industriefirmen haben ihren Sitz ins Dorf verlegt. Das hat auch mit der direkten Anbindung an die Autobahnen A1 und A2 zu tun.

Vom Jura ins Mittelland

Was jedem Besucher in Langenthal sofort ins Auge sticht, sind die hohen Trottoirs im Zentrum. Sie wurden gebaut, um im Notfall das Hochwasser der Langeten durch die Strassen leiten zu können, was häufig der Fall war. Seit 1992 ist die Gefahr dank einem gut funktionierenden Entlastungsstollen gebannt. Das Postauto bringt uns nach St. Urban. Das Zisterzienserkloster wurde im 18. Jahrhundert vollständig neu aufgebaut. Es ist eines der eindrücklichsten Beispiele barocker Baukunst.

Zofingen

Vom Kloster St. Urban fahren wir mit dem Postauto zum Bahnhof Zofingen, der direkt an die grosse, gut erhaltene Altstadt anschliesst. Zofingen ist eine Kulturstadt. Hier finden Festivals wie das «Heitere-Open-Air», «Moonlight Classics» oder die «New Orleans Meets» statt. Der Gutshof Hirzenberg bietet Klassik und Zeitgenössisches.

Solothurn Oensingen Langenthal St. Urban | Zofingen

Solothurn

The cantonal capital with many features: City of ambassadors, city of St. Ursus, or quite simply put, "the most beautiful Baroque city in Switzerland". Solothurn is the seat of the Diocese of Basel, which includes over one million Catholics. The landmark of Solothurn, the Cathedral of St. Ursus, guards the neighboring, well-maintained old town. The cultural offerings are impressive: the Biel-Solothurn Theater, the Solothurn Film Days, the Solothurn Literary Days, the Kulturfabrik Kofmehl, and the Kulturzentrum Altes Spital, to name the most prominent.

Oensingen

This is the center of the canton of Solothurn. Neu-Bechburg, a fortification structure built around 1250, stands proudly above the village. The authorities consider it to be of special importance for the future and further development of the city – and the development so far has indeed been considerable. Many industrial companies

3 | Ruine Falkenstein bei Oensingen – Falkenstein ruins near Oensingen – Ruine de Falkenstein à Oensingen 4 | «Heitere» Open Air, Zofingen – "Heitere" open air festival, Zofingen – «Heitere» Open Air, Zofingue 5 | Kloster St. Urban – St. Urban Abbey – Abbaye de St-Urbain

have settled down in the village, also because of the direct connection to Highways A1 and A2.

From Jura to Mittelland

What immediately grabs the attention of every visitor to Langenthal are the high sidewalks in the center. They were built in order to control rising waters in the streets in the event of the Langete flooding, which happened quite frequently. Since 1992, this issue has been taken care of by means of an efficient drainage tunnel. The postal bus brings us to St. Urban. The Cistercian abbey was completely renovated in the 18th century. It is one of the most impressive examples of Baroque architecture.

Zofingen

From St. Urban Abbey, we take the postal bus to Zofingen Station, which is connected to the preserved old town. Zofingen is a cultural city and hosts festivals like the "Heitere" open air festival, "Moonlight Classics", or the "New Orleans Meets". The Hirzenberg estate offers a taste of the classic and contemporary.

Soleure Oensingen Langenthal St-Urbain | Zofingue

Soleure

La capitale du canton a plusieurs appellations: Ville des Ambassadeurs, ville de St-Ours et tout simplement «Plus belle ville baroque de Suisse». Soleure est le siège épiscopal du diocèse de Bâle, auquel plus d'un million de catholiques appartiennent. L'emblème de Soleure, la cathédrale St-Ours, domine la Vieille Ville avoisinante, bien conservée. L'offre culturelle est impressionnante: le Théâtre Bienne-Soleure, les journées du cinéma, les journées littéraires, la fabrique culturelle Kofmehl, le centre culturel Altes Spital, pour ne citer que les plus importantes.

Oensingen

C'est ici le centre du canton de Soleure. Le Bechburg est un château fort bâti en 1250. Il se dresse fièrement au-dessus du village. Les autorités voient en lui le symbole des perspectives de développement qu'elles attendent. La connexion providentielle aux autoroutes A1 et A2 a fait que de nombreuses entreprises industrielles ont établi leur siège au village.

Du Jura jusque'au Plateau

Ce qui est particulier à Langenthal, ce sont les trottoirs surélevés dans le centre. Ils ont été aménagés afin de maîtriser les crues de la Langeten en la déviant dans les rues en cas de nécessité, ce qui se révélait souvent nécessaire. Depuis 1992, grâce à une galerie d'évacuation performante, le danger a été écarté. Un car postal mène à St-Urbain, abbaye cistercienne entièrement reconstruite au XVIIIe siècle. Elle est l'un des témoins les plus impressionnants de l'architecture baroque.

Zofingue

De l'abbaye de St-Urbain, un car postal mène à la gare de Zofingue, puis rejoint directement la vaste Vieille Ville bien conservée. Zofingue est une ville culturelle. Des festivals tels que «l'Heitere-Open-Air», le «Moonlight Classics» ou les «New Orleans Meets» y ont lieu. La ferme domaniale Hirzenberg propose des concerts classiques et contemporains.

Vom Herausgeber empfohlene Hotels
Hotels recommended by the publisher
Des hôtels recommandés par l'éditeur

1 Basel

Basel
Hotel Novotel Basel City
Grosspeterstrasse 12
4052 Basel
Telefon +41 61 306 68 68
h8215@accor.com
www.novotel.com/8215

2 Liestal | Aarau

Bubendorf
Bad Bubendorf Hotel
Kantonsstrasse 3
4416 Bubendorf BL
Telefon +41 61 935 55 55
hotel@badbubendorf.ch
www.badbubendorf.ch

Ormalingen
Landgasthof Farnsburg
Farnsburgweg 195
4466 Ormalingen BL
Telefon +41 61 985 90 30
info@landgasthof-farnsburg.ch
www.farnsburg.ch

Erlinsbach/Aarau
Landhotel Hirschen
Hauptstrasse 125
5015 Erlinsbach/Aarau
Telefon +41 62 857 33 33
mailbox@hirschen-erlinsbach.ch
www.hirschen-erlinsbach.ch

3 Hallwilersee

Meisterschwanden
Seerose Resort & Spa
Seerosenstrasse 1
5616 Meisterschwanden
Telefon +41 56 676 68 68
hotel@seerose.ch
www.seerose.ch

Birrwil
Hotel-Restaurant Schifflände
Seestrasse 30
5708 Birrwil
Telefon +41 62 772 11 09
schifflaende@remimag.ch
www.hotel-restaurant-schifflaende.ch

4 Rhein

Schaffhausen
Sorell Hotel Rüden
Oberstadt 20
8201 Schaffhausen
Telefon +41 52 632 36 36
info@rueden.ch
www.rueden.ch

Büsingen
Hotel Restaurant
Alte Rheinmühle
Junkerstrasse 93
8238 Büsingen
Telefon +41 52 625 25 50
hotel@alte-rheinmuehle.ch
www.alte-rheinmuehle.ch

5 Untersee

Gottlieben
Hotel Die Krone
Seestrasse 11
8274 Gottlieben
Telefon +41 71 666 80 60
info@hoteldiekrone.ch
www.hoteldiekrone.ch

6 St. Gallen Bodensee

Arbon
Hotel Restaurant Seegarten
Seestrasse 66
9320 Arbon
Telefon +41 71 447 57 57
info@hotelseegarten.ch
www.hotelseegarten.ch

St. Gallen
Einstein St. Gallen
Hotel Congress Spa
Berneggstrasse 2
9000 St. Gallen
Telefon +41 71 227 55 55
hotel@einstein.ch
www.einstein.ch

7 Appenzellerland

Appenzell
Romantik Hotel Säntis
Landsgemeindeplatz 3
9050 Appenzell
Telefon +41 71 788 11 11
info@saentis-appenzell.ch
www.saentis-appenzell.ch

Gonten
Hotel Bären Gonten
Dorfstrasse 40
9108 Gonten
Telefon +41 71 795 40 10
info@baeren-gonten.ch
www.baeren-gonten.ch

Sertig Dörfli
Hotel Walserhuus Sertig
Sertigerstrasse 34
7272 Sertig Dörfli
Telefon +41 81 410 60 30
walserhuus@swissonline.ch
www.walserhuus.ch

8 Rheintal | Davos

Bad Ragaz
Grand Hotel Quellenhof
& Spa Suites
7310 Bad Ragaz
Telefon +41 81 303 30 30
reservation@resortragaz.ch
www.resortragaz.ch

Klosters-Serneus
Hotel Walserhof
Landstrasse 141
7250 Klosters-Serneus
Telefon +41 81 410 29 29
info@walserhof.ch
www.walserhof.ch

9 Unterengadin

Sent
Pensiun Aldier Sent
Plaz 154
7554 Sent
Telefon +41 81 860 30 00
info@aldier.ch
www.aldier.ch

Guarda
Hotel Meisser
Dorfstrasse 42
7545 Guarda
Telefon +41 81 862 21 32
info@hotel-meisser.ch
www.hotel-meisser.ch

10 Oberengadin

Sils-Maria
Hotel Seraina
7514 Sils-Maria
Telefon +41 81 838 48 00
info@hotel-seraina.ch
www.hotel-seraina.ch

11 Julier Lenzerheide Chur | Arosa

Lenzerheide
Hotel Schweizerhof
7078 Lenzerheide
Telefon +41 81 385 25 25
info@schweizerhof-lenzerheide.ch
www.schweizerhof-lenzerheide.ch

Arosa
Waldhotel National
7050 Arosa
Telefon +41 81 378 55 55
info@waldhotel.ch
www.waldhotel.ch

12 Flims | Laax Falera

Flims-Waldhaus
Hotel Adula
Via Sorts Sut 3
7018 Flims-Waldhaus
Telefon +41 81 928 28 28
info@adula.ch
www.adula.ch

Laax
Hotel Bellaval
Via Falera 7
7031 Laax
Telefon +41 81 921 47 00
welcome@bellaval-laax.ch
www.hotelbellaval.ch

13 Bündner Oberland

Disentis
Hotel Disentiserhof
Via Disentiserhof 1
7180 Disentis/Mustér
Telefon +41 81 929 57 00
info@hoteldisentiserhof.ch
www.hoteldisentiserhof.ch

14 Bellinzona Ceneri | Lugano

Lugano
Hotel Federale
Via Paolo Regazzoni 8
6900 Lugano
Telefon +41 91 910 08 08
info@hotel-federale.ch
www.hotel-federale.ch

15 Lago di Lugano Malcantone

Miglieglia
Casa Santo Stefano
Nucleo
6986 Miglieglia
Telefon +41 91 609 19 35
info@casa-santo-stefano.ch
www.casa-santo-stefano.ch

Sessa
Hotel Restaurant I Grappoli
6997 Sessa
Telefon +41 91 608 11 87
info@grappoli.ch
www.grappoli.ch

16 Gambarogno Val Verzasca

Vira-Gambarogno
Hotel Bellvista
La Strada d'Indéman 18
6574 Vira-Gambarogno
Telefon +41 91 795 11 15
info@hotelbellavista.ch
www.hotelbellavista.ch

17 Locarnese

Ascona
Art Hotel Riposo Ascona
Scalinata della Ruga 4
6612 Ascona
Telefon +41 91 791 31 64
info@hotel-riposo.ch
www.hotelriposo.ch

Porto Ronco/Ascona
Boutique Hotel La Rocca
Via Ronco 61
6613 Porto Ronco/Ascona
Telefon +41 91 785 11 44
hotel@la-rocca.ch
www.la-rocca.ch

Brissago
Parkhotel Brenscino
Via Sacro Monte 21
6614 Brissago
Telefon +41 91 786 81 11
info@brenscino.ch
www.brenscino.ch

18 Centovalli Valle Maggia Leventina

Intragna
Hotel Ristorante Stazione
6655 Intragna
Telefon +41 91 796 12 12
da.agnese@bluewin.ch
www.daagnese.ch

Tegna
Hotel Pensione Casa Gialla
Via Cantonale 95
6652 Tegna
Telefon +41 91 780 74 04
info@casa-gialla.ch
www.casa-gialla.ch

19 San Gottardo Furka | Goms

Obergesteln
Golf- und Wellness Hotel «Wein & Sein»
3988 Obergesteln
Telefon +41 27 973 28 28
info@hotel-hubertus.ch
www.hotel-hubertus.ch

Riederalp
Art Furrer Hotels
3987 Riederalp
Telefon (0)844 444 488
artfurrer@artfurrer.ch
www.artfurrer.ch

20 Saas-Almagell Zermatt

Saas-Almagell
Hotel Pirmin Zurbriggen
3905 Saas Almagell
Telefon +41 27 957 23 01
pirmin.zurbriggen@rhone.ch
www.wellnesshotel-zurbriggen.ch

Zermatt
Hotel Alex
Bodmenstrasse 12
3920 Zermatt
Telefon +41 27 966 70 70
info@hotelalexzermatt.com
www.hotelalexzermatt.com

21 Lötschental Bürchen Leukerbad | Sion

Blatten-Lötschental
Genuss Hotel
Nest- und Bietschhorn
Ried 24
3919 Blatten
Telefon +41 27 939 11 06
info@nest-bietschhorn.ch
www.nest-bietschhorn.ch

Bürchen
Hotel Bürchnerhof
Ronalpstrasse 86
3935 Bürchen
Telefon +41 27 934 24 34
info@buerchnerhof.ch
www.buerchnerhof.ch

22 Unterwallis

Champéry
Art.Boutique.Hotel Beau-Séjour
Rue du Village 114
1874 Champéry
Telefon +41 24 479 58 58
info@beausejour.ch
www.beausejour.ch

23 Villars sur Ollon Pays d'Enhaut Gstaad

Villars-sur-Ollon
Eurotel Victoria
route des Layeux 1
1884 Villars-sur-Ollon
Telefon +41 24 495 31 31
villars@eurotel-victoria.ch
www.eurotel-victoria.ch

Gstaad
Hotel Arc-en-Ciel
Egglistrasse 24
3780 Gstaad
Telefon +41 33 748 43 43
info@arc-en-ciel.ch
www.arc-en-ciel.ch

24 Lenk | Simmental Engstligental Adelboden

Lenk im Simmental
Hotel Krone Lenk
Kronenplatz 1
3775 Lenk im Simmental
Telefon +41 33 736 33 44
info@krone-lenk.ch
www.krone-lenk.ch

Adelboden
Hotel Steinmattli
Risetenstrássli 10
3715 Adelboden
Telefon +41 33 673 39 39
info@hotel-steinmattli.ch
www.hotel-steinmattli.ch

25 Kandersteg Thunersee

Kandersteg
Hotel Bernerhof Kandersteg
Aeussere Dorfstrasse 37
3718 Kandersteg
Telefon +41 33 675 88 75
hotel@bernerhof.ch
www.bernerhof.ch

Aeschi bei Spiez
Hotel Aeschipark
Dorfstrasse 8
3703 Aeschi bei Spiez
Telefon +41 33 655 91 91
info@aeschipark.ch
www.aeschipark.ch

Spiez
Hotel & Restaurant Belvédère
Schachenstrasse 39
3700 Spiez
Telefon +41 33 655 66 66
info@belvedere-spiez.ch
www.belvedere-spiez.ch

Sigriswil
Solbadhotel Sigriswil
Sigriswilstrasse 117
3655 Sigriswil
Telefon +41 33 252 25 25
info@solbadhotel.ch
www.solbadhotel.ch

26 Interlaken Jungfraugebiet

Interlaken
Hotel Artos Interlaken
Alpenstrasse 45
3800 Interlaken
Telefon +41 33 828 88 44
mail@artos.ch
www.artos-hotel.ch

Grindelwald
Wohlfühlhotel Kreuz & Post
Dorfstrasse 85
3818 Grindelwald
Telefon +41 33 854 54 92
info@kreuz-post.ch
www.kreuz-post.ch

27 Brienzersee

Brienz
Grandhotel Giessbach
3855 Brienz
Telefon +41 33 952 25 25
grandhotel@giessbach.ch
www.giessbach.ch

Brienz
Ayurveda Seehotel Bären am magischen Brienzersee
Hauptstrasse 72
3855 Brienz
Telefon +41 33 951 24 12
info@seehotel-baeren-brienz.ch
www.seehotel-baeren-brienz.ch

28 Obwalden Nidwalden

Sachseln
Hotel Kreuz Sachseln
Bruder-Klausen-Weg 1
6072 Sachseln
Telefon +41 41 660 53 00
info@kreuz-sachseln.ch
www.kreuz-sachseln.ch

Emmetten
Hotel Seeblick
Hugenstrasse 24
6376 Emmetten
Telefon +41 41 624 41 41
info@hotelseeblick.ch
www.hotelseeblick.ch

29 Engelberg | Luzern

Engelberg
Hotel Waldegg
Schwandstrasse 91
6390 Engelberg
Telefon +41 41 639 69 00
info@waldegg-engelberg.ch
www.waldegg-engelberg.ch

30 Küssnacht | Rigi Brunnen | Schwyz

Küssnacht am Rigi
Hotel Restaurant Seehof
Seeplatz 6
6403 Küssnacht am Rigi
Telefon +41 41 850 10 12
seehof@remimag.ch
www.hotel-restaurant-seehof.ch

Rigi Kaltbad
Hotel Rigi Kaltbad
Zentrum 4
6356 Rigi Kaltbad
Telefon +41 41 399 81 81
info@hotelrigikaltbad.ch
www.hotelrigikaltbad.ch

Brunnen
Seehotel Waldstätterhof
Waldstätterquai 6
6440 Brunnen
Telefon +41 41 825 06 06
info@waldstaetterhof.ch
www.waldstaetterhof.ch

31 Einsiedeln | Amden Glarnerland

Einsiedeln
Boutique Hotel St. Georg
Hauptstrasse 72
8840 Einsiedeln
Telefon +41 55 418 24 24
info@hotel-stgeorg.ch
www.hotel-stgeorg.ch

Braunwald
Hotel Cristal
Hüttenbergstrasse 6
8784 Braunwald
Telefon +41 55 643 10 45
info@hotel-cristal.ch
www.hotel-cristal.ch

Amden
Hotel Arvenbüel
Arvenbüelstrasse 47
8873 Amden
Telefon +41 55 611 60 10
info@arvenbuel.ch
www.arvenbuel.ch

32 Toggenburg | Wil Frauenfeld

Degersheim
Hotel Wolfensberg
Wolfensberg
9113 Degersheim
Telefon +41 71 370 02 02
info@wolfensberg.ch
www.wolfensberg.ch

Warth
Kartause Ittingen
Stiftung Kartause Ittingen
8532 Warth TG
Telefon +41 52 748 44 11
info@kartause.ch
www.kartause.ch

33 Winterthur Zürich

Winterthur
Hotel Restaurant Römertor
Guggenbühlstrasse 6
8404 Winterthur
Telefon +41 52 244 55 55
info@roemerturm.ch
www.roemerturm.ch

Küsnacht am Zürichsee
Romantik Seehotel Sonne
Seestrasse 120
8700 Küsnacht ZH
Telefon +41 44 914 18 18
home@sonne.ch
www.sonne.ch

34 Zug Sempachersee Emmental

Risch am Zugersee
Hotel Restaurant Waldheim
Rischerstrasse 27
6343 Risch ZG
Telefon +41 41 799 70 70
waldheim@waldheim.ch
www.waldheim.ch

Eich am Sempachersee
Sonne Seehotel
Seestrasse 23
6205 Eich
Telefon +41 41 202 01 01
hotel@sonneseehotel.ch
www.sonneseehotel.ch

Konolfingen
Schloss Hünigen
Freimettigenstrasse 9
3510 Konolfingen
Telefon +41 31 791 26 11
hotel@schlosshuenigen.ch
www.schlosshuenigen.ch

35 Burgdorf | Bern

Bern
Hotel Allegro Bern
Kornhausstrasse 3
3000 Bern 25
Telefon +41 31 339 55 00
www.allegro-hotel.ch

Muri
Hotel Sternen Muri
Thunstrasse 80
3074 Muri BE
Telefon +41 31 950 71 11
info@sternenmuri.ch
www.sternenmuri.ch

36 Murtensee

Muntelier
Hotel Bad Muntelier am See
Hauptstrasse 5
3286 Muntelier bei Murten
Telefon +41 26 670 88 10
info@hotel-bad-muntelier.ch
www.hotel-bad-muntelier.ch

Lugnorre
Hotel Mont-Vully
Route du Mont 50
1789 Lugnorre
Telefon +41 26 673 21 21
info@hotel-mont-vully.ch
www.hotel-mont-vully.ch

37 Lac Leman

Glion sur Montreux
Hotel Victoria
Route de Caux 16
1823 Glion sur Montreux
Telefon +41 21 962 82 82
info@victoria-glion.ch
www.victoria-glion.ch

Morges
Romantic Hotel Mont Blanc au Lac
Quai du Mont-Blanc
1110 Morges
Telefon +41 21 804 87 87
info@hotel-mont-blanc.ch
www.hotel-mont-blanc.ch

38 Yverdon-les-Bains Neuchâtel | Jura

Yverdon-les-Bains
Grand Hotel Des Bains
Avenue des Bains 22
1400 Yverdon-les-Bains
Telefon +41 24 424 64 64
reservation@grandhotelyverdon.ch
www.grandhotelyverdon.ch

Montezillon
L'Aubier
Les Murailles 5
2037 Montezillon
Telefon +41 32 732 22 11
contact@aubier.ch
www.aubier.ch

39 Bielersee Seeland

Studen
Hotel und Tropenpflanzen-Restaurant Florida
Aareweg 25
2557 Studen
Telefon +41 32 374 28 28
info@florida.ch
www.florida.ch

40 Solothurn Zofingen | Olten

Egerkingen
Mövenpick Hotel Egerkingen
Höhenstrasse 12
4622 Egerkingen
Telefon +41 62 389 19 19
hotel.egerkingen@moevenpick.com
www.moevenpick-hotels.com/hotel-egerkingen

Olten
Hotel Amaris
Tannwaldstrasse 34
4600 Olten
Telefon +41 62 287 56 56
info@hotelamaris.ch
www.hotelamaris.ch

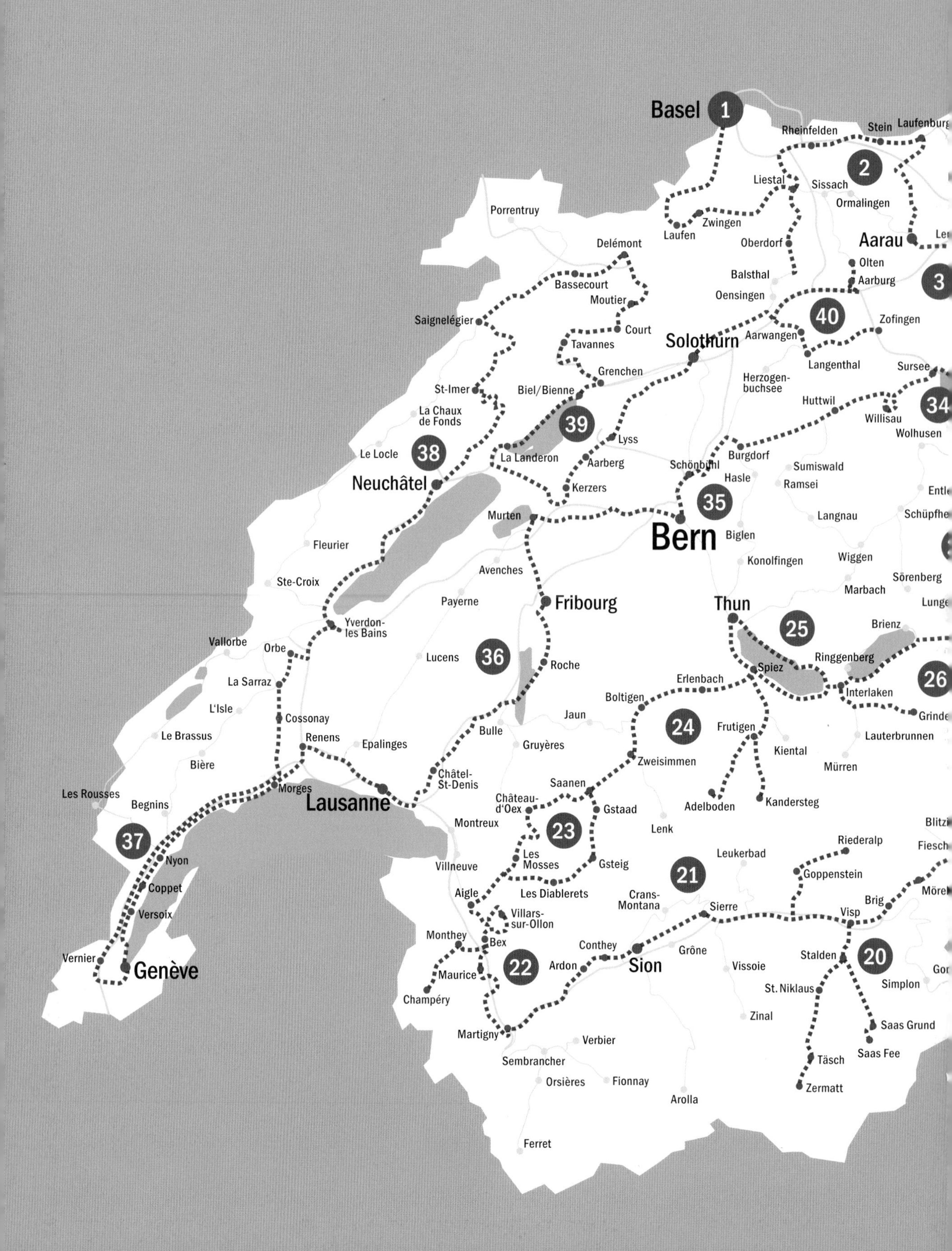

Basel
1
Rheinfelden
Stein
2
Liestal
Sissach
Ormalingen
Porrentruy
Zwingen
Laufen
Delémont
Oberdorf
Aarau
Olten
Aarburg
3
Balsthal
Oensingen
Bassecourt
Moutier
Saignelégier
Court
Tavannes
Solothurn
Aarwangen
40
Zofingen
Langenthal
Sursee
Grenchen
Herzogen-
buchsee
St-Imer
Biel/Bienne
Huttwil
34
La Chaux
de Fonds
39
Willisau
Wolhusen
Lyss
Le Locle
38
La Landeron
Aarberg
Schönbühl
Burgdorf
Sumiswald
Neuchâtel
Hasle
Ramsei
Kerzers
35
Murten
Langnau
Bern
Biglen
Fleurier
Konolfingen
Wiggen
Avenches
Sörenberg
Ste-Croix
Marbach
Payerne
Fribourg
Thun
Yverdon-
les Bains
25
Brienz
Vallorbe
Orbe
Lucens
36
Roche
Ringgenberg
Spiez
26
La Sarraz
Erlenbach
Interlaken
Boltigen
L'Isle
Jaun
Cossonay
24
Frutigen
Lauterbrunnen
Le Brassus
Renens
Epalinges
Bulle
Gruyères
Kiental
Bière
Zweisimmen
Mürren
Châtel-
St-Denis
Les Rousses
Morges
Saanen
Begnins
Lausanne
Château-
d'Oex
Gstaad
Adelboden
Kandersteg
Montreux
Lenk
37
23
Riederalp
Nyon
Les
Mosses
Leukerbad
Villneuve
Gsteig
21
Goppenstein
Coppet
Aigle
Les Diablerets
Crans-
Montana
Brig
Versoix
Sierre
Visp
Villars-
sur-Ollon
Monthey
Bex
Conthey
Grône
Stalden
20
Vernier
Genève
22
Ardon
Sion
Vissoie
Maurice
St. Niklaus
Simplon
Champéry
Zinal
Saas Grund
Martigny
Verbier
Saas Fee
Täsch
Sembrancher
Orsières
Fionnay
Zermatt
Arolla
Ferret